Sì... continuo a comprare
libri, a scriverci il mio
nome con il mese e l'anno
come se a qualcuno
gliene fregasse qualcosa.

Però, Margret mi piace
così tanto!

Fra il 1931 e il 1972 Georges Simenon (Liegi 1903-Losanna 1989) ha pubblicato 75 romanzi e 28 racconti dedicati alle inchieste di Maigret. Simenon lo ha spesso sottolineato: la stesura, fulminea e spossante, dei suoi romanzi comportava una vera e propria mobilitazione psichica e si accompagnava talora a somatizzazioni estreme. Succede, non a caso, anche al commissario, quando un'indagine lo coinvolge emotivamente: come in *Maigret e il cliente del sabato*, e come in questo *Maigret e il produttore di vino*, compiuto a Épalinges il 29 settembre 1969 e apparso in Francia l'anno successivo: dalle prime avvisaglie di un oscuro disagio («Gli doleva la testa ... e si sentiva la fronte madida di sudore») sino all'esplodere liberatorio dei sintomi, e al materno intervento della signora Maigret: «Gli portò il termometro e lui lo tenne in bocca senza protestare per cinque minuti. "Trentotto". "Domani, se hai ancora la febbre, telefono a Pardon, che tu lo voglia o no"».
Presso Adelphi sono in corso di pubblicazione tutte le opere di Simenon.

Georges Simenon

Maigret
e il produttore di vino

TRADUZIONE DI ELDA NECCHI

ADELPHI EDIZIONI

TITOLO ORIGINALE:

Maigret et le marchand de vin

Le inchieste del commissario Maigret
escono a cura di Ena Marchi e Giorgio Pinotti

WWW.ADELPHI.IT

ISBN 978-88-459-2545-0

MAIGRET
E IL PRODUTTORE DI VINO

1

«L'hai uccisa per derubarla, vero?».

«Non volevo ucciderla. Altrimenti perché mi sarei portato solo una pistola giocattolo?».

«Sapevi che aveva molto denaro?».

«Non sapevo quanto... Aveva lavorato tutta la vita, e a ottant'anni suonati doveva per forza avere qualcosa da parte...».

«Quante volte sei andato a chiederle dei soldi?».

«Non lo so. Tante, comunque... Quando mi presentavo da lei, sapeva già il perché. Era mia nonna, e senza pensarci mi sganciava cinque franchi. Ma si rende conto? Che cosa ci fa un disoccupato con cinque franchi?».

Maigret era cupo, lento, un po' triste. Un caso banale, il solito delitto squallido, come ne capitano quasi ogni settimana: un ragazzo di neanche vent'anni che aggredisce una donna anziana e sola per rapinarla. La differenza, con Théo Stiernet, era che aveva preso di mira sua nonna.

Appariva molto più tranquillo di quanto sarebbe

stato logico aspettarsi, e rispondeva alle domande come meglio poteva. Era un ragazzo grassoccio e molle, con una faccia tonda quasi senza mento, occhi sporgenti e labbra carnose, così rosse che a prima vista sembrava truccato.

«Cinque franchi, come a un bambino che viene a ritirare la paghetta!».

«Il marito è morto?».

«Sì, da quarant'anni o giù di lì. Per molto tempo lei ha mandato avanti una piccola merceria in place Saint-Paul. Poi ha cominciato a camminare a fatica e ha dovuto chiudere bottega, ma è stato solo due anni fa...».

«Tuo padre?».

«È a Bicêtre, in manicomio».

«La madre ce l'hai ancora?».

«Non vivo più con lei da un pezzo. Beve, è sempre ubriaca».

«Hai fratelli, sorelle?».

«Una sorella. Ma è andata via di casa a quindici anni, e non si sa che fine abbia fatto».

Non c'era emozione nella sua voce.

«Come facevi a sapere che tua nonna teneva i soldi in casa?».

«Non si fidava delle banche, neppure della Cassa di risparmio».

Erano le nove di sera. Il delitto era stato commesso il giorno prima più o meno alla stessa ora, nella vecchia casa di rue du Roi-de-Sicile dove Joséphine Ménard abitava in un bilocale, al terzo piano. Un'inquilina del quarto aveva incontrato Stiernet sul pianerottolo mentre usciva dall'appartamento. Lo conosceva bene. Si erano salutati.

Verso le nove e mezzo un'altra vicina, la signora Palloc, che abitava dirimpetto, aveva pensato di passare un attimo dall'anziana signora, come faceva spesso.

Aveva bussato senza ottenere risposta. La porta non era chiusa a chiave, e lei aveva girato il pomello. Joséphine Ménard era rannicchiata sul pavimento, morta, il cranio spaccato e il volto ridotto in poltiglia.

Già alle sei del mattino avevano rintracciato Théo Stiernet mentre dormiva su una panchina della Gare du Nord.

«Perché hai deciso di ucciderla?».

«Non volevo farlo. È stata lei che mi ha aggredito, e allora ho perso la testa...».

«Le hai puntato contro la pistola finta?».

«Sì. Ma non ha fatto una piega. Forse si è accorta subito che era solo un giocattolo.

«"Fuori di qui, mascalzone!..." mi ha detto. "Se credi di impressionarmi...".

«Ha preso delle forbici che erano sul tavolino ed è venuta verso di me continuando a sbraitare:

«"Vattene!... Vattene, ti dico, o te ne pentirai...".

«Era piccola, sembrava fragile, ma era un fascio di nervi.

«Ho avuto paura. Ho pensato che con quelle forbici aperte mi avrebbe cavato gli occhi. Ho cercato in giro qualcosa per difendermi. Di fianco alla stufa c'era un attizzatoio e l'ho afferrato».

«Quante volte l'hai colpita?».

«Non so. Non voleva cadere. Continuava a fissarmi con gli occhi sbarrati».

«Le sanguinava la faccia?».

«Sì. Non volevo che soffrisse. Non so cosa mi ha preso... Ho continuato a colpirla».

A Maigret sembrava già di sentire l'arringa del pubblico ministero, in Corte d'Assise: «Stiernet, allora, si è accanito selvaggiamente sulla poveretta...».

«E quando è caduta?».

«L'ho guardata, ma lì per lì non ho capito... Non volevo ucciderla. Glielo giuro. Mi creda».

«Eppure ti era rimasto abbastanza sangue freddo per rovistare nei cassetti».

«Non subito. Stavo per uscire, poi mi sono ricordato che in tasca avevo solo un franco e mezzo, e che mi avevano buttato fuori dall'albergo perché ero in arretrato di due mesi».

«Sei tornato indietro?».

«Sì, ma non ho frugato in tutto l'appartamento, che lei ci creda o no. Ho solo aperto qualche cassetto. Ho trovato un vecchio borsellino e me lo sono infilato in tasca. Poi ho preso una scatoletta di cartone con dentro due anelli e un cammeo».

I due anelli, il cammeo e il logoro borsellino erano sulla scrivania di Maigret, accanto alle pipe.

«Non hai trovato i soldi?».

«Non li ho neppure cercati. Non vedevo l'ora di andarmene via, per non vederla più. Sembrava che continuasse a guardarmi, dovunque mi trovassi nella stanza. Sul pianerottolo ho incontrato la signora Menou. Poi sono entrato in un bar e ho bevuto un cognac. E dato che sul bancone c'erano dei panini imbottiti, ne ho mangiati tre».

«Avevi fame?».

«A quanto pare... Ho mangiato, ho bevuto un caffè e poi mi sono messo a camminare per le strade. La situazione non era migliorata granché, perché nel borsellino c'erano solo otto franchi e venticinque».

La situazione non era migliorata granché!

Lo aveva detto come se fosse la cosa più naturale del mondo. Maigret, perplesso, non riusciva a distogliere gli occhi dal suo volto.

«Perché hai scelto la Gare du Nord?».

«Non l'ho scelta. Ci sono arrivato per caso. Faceva un gran freddo».

Era il 15 dicembre. Un vento di tramontana faceva vorticare minuscoli fiocchi di neve che si adagiavano come granelli di polvere sul selciato.

«Volevi raggiungere il Belgio?».

«Con quei pochi franchi che mi erano rimasti?».

«Che progetti avevi?».

«Intanto dormire».

«Immaginavi che saresti stato arrestato?».

«Non ci pensavo».

«A cosa pensavi?».

«A niente».

La polizia li aveva trovati, i soldi: erano sopra l'armadio a specchi, avvolti in carta da imballaggio. Ventiduemila franchi.

«Cosa avresti fatto se avessi scovato il denaro?».

«Non lo so».

Si aprì la porta, e nell'ufficio entrò Lapointe.

«Ha telefonato l'ispettore Fourquet. Voleva parlare con lei, ma gli ho detto che era occupato».

Fourquet era del XVII arrondissement, un quartiere ricco, alto borghese, dove capitavano raramente dei delitti.

«Un uomo è stato ucciso in rue Fortuny, a duecento metri dal Parc Monceau. Dai documenti che gli hanno trovato addosso sembra che sia un pezzo grosso, un importante produttore di vino».

«Si sa nient'altro?».

«Pare che stesse andando verso la sua auto quando è stato colpito da quattro pallottole. Non ci sono testimoni. È una strada poco frequentata, e in quel momento non c'era nessuno».

Maigret diede un'occhiata a Stiernet e alzò le spalle.

«C'è Lucas?».

Andò alla porta, e vide Lucas alla sua scrivania.

«Puoi venire un attimo?».

Stiernet li guardava a turno con i suoi occhi sporgenti, come se fosse un semplice spettatore.

«Ricomincia l'interrogatorio da capo e trascrivi le risposte. Poi fagli firmare il verbale e portalo in cella. Lapointe, tu vieni con me».

Infilò il pesante cappotto nero e si mise attorno al collo la sciarpa di lana blu che la signora Maigret aveva lavorato a maglia. Prima di uscire caricò un'altra pipa che si accese in corridoio, dopo aver lanciato un'ultima occhiata all'assassino.

Malgrado non fosse tardi, le strade erano semideserte per via del vento gelido che tagliava la faccia e penetrava anche attraverso gli indumenti più caldi. I due uomini salirono su una delle piccole auto nere della Polizia giudiziaria e attraversarono mezza Parigi a tempo di record.

In rue Fortuny gli agenti avevano bloccato la circolazione e impedivano ai curiosi di avvicinarsi a un corpo steso sul marciapiede, attorno al quale andavano e venivano quattro o cinque uomini.

C'era anche Fourquet, che si fece incontro a Maigret.

«Sono arrivati anche il commissario di zona e il medico».

Fourquet era un uomo elegante, cortese, che Maigret aveva incontrato varie volte. Si strinsero la mano.

«Conosce Oscar Chabut?».

«Dovrei?».

«È un uomo piuttosto importante, uno dei più grossi produttori di vino di Parigi. Il Vin des Moines: sicuramente lo avrà letto su qualche camion o sui manifesti. Ha anche delle chiatte sulla Senna e dei vagoni-cisterna».

L'uomo steso sul marciapiede era corpulento senza essere grasso. La stazza era piuttosto quella di un giocatore di rugby. Il medico si rialzò e spazzolò via la neve dalle ginocchia dei pantaloni.

«Deve essere sopravvissuto al massimo due o tre minuti. L'autopsia ci dirà di più».

Maigret guardò gli occhi fissi, di un azzurro molto chiaro, quasi grigio pallido, il volto squadrato, con una mascella volitiva che mostrava i primi segni di rilassamento.

La camionetta della Scientifica si fermò rasente al marciapiede e i tecnici ne estrassero la loro attrezzatura; a vederli sembravano una troupe cinematografica o televisiva.

«Avete avvisato l'ufficio del procuratore?».

«Sì. Manderanno un sostituto e un giudice istruttore».

Maigret cercò Fourquet con lo sguardo e lo trovò a pochi passi da lui, che cercava di scaldarsi battendosi i fianchi con le lunghe braccia.

«La macchina della vittima qual è?».

Ce n'erano cinque o sei parcheggiate lungo il marciapiede, tutte auto di lusso. Quella di Chabut era una Jaguar rossa.

«Avete dato un'occhiata nel vano portaoggetti?».

«Sì. Occhiali da sole, una guida Michelin, due carte stradali della Provenza e una scatola di pastiglie per la tosse».

«Quasi sicuramente è uscito da una delle case di questa via».

La via era corta, e Maigret, girandosi, riconobbe la palazzina davanti alla quale giaceva ancora il cadavere. Era un edificio in stile Novecento, con pietre scolpite attorno alle finestre e arabeschi. Ebbe l'impressione che lo spioncino a grata, nella porta di quercia chiodata dell'ingresso, si fosse mosso.

«Vieni con me, Lapointe...».

Si diresse verso l'ingresso e premette il pulsante del campanello. Ci volle del tempo prima che il pannello si socchiudesse. Una donna, di cui si vedevano solo un occhio e una spalla, si profilò all'interno di un corridoio buio.

«Che c'è?».

Maigret l'aveva riconosciuta.

«Buonasera, Blanche».

«Cosa vuole da me?».

«Commissario Maigret. Non si ricorda? È vero che sono passati dieci anni da quando ci siamo visti l'ultima volta...».

Spinse la porta senza attendere di essere invitato a entrare.

«Vieni» disse a Lapointe. «Tu sei troppo giovane per avere conosciuto Madame Blanche. È così che la chiamano tutti».

Come fosse di casa, Maigret accese la luce e aprì il battente di una doppia porta che dava su un'ampia sala. Ovunque tappeti, tappezzerie, cuscini multicolore, lampade con la luce filtrata da paralumi di seta.

Madame Blanche dimostrava una cinquantina d'anni, ma doveva averne almeno sessanta. Era piccola, rotondetta, e qualcuno avrebbe potuto trovarla molto distinta. Indossava un vestito di seta nera su cui spiccavano due o tre giri di perle.

«Come al solito, tanto attiva quanto discreta, eh?».

L'aveva conosciuta trent'anni prima, quando ancora batteva sul boulevard de la Madeleine. Era graziosa, dolce, sempre con un sorriso simpatico che le disegnava due fossette.

In seguito era diventata sottotenutaria di un appartamento di rue Notre-Dame-de-Lorette, dove si era sempre sicuri di trovare belle donne.

Era salita di grado. Adesso era la proprietaria di quella palazzina, dove le coppie occasionali trovavano un rifugio elegante e raffinato, con whisky e champagne di gran marca.

«Com'è successo?» chiese il commissario, mentre la donna cercava di darsi un contegno.

«Successo cosa? Qui non è successo niente. E là fuori non so cosa c'è stato. Ho notato un certo andirivieni».

«Non ha sentito degli spari?».

«Erano spari? Ho pensato che fosse il motore di una macchina».

«Lei dov'era?».

«Ero in cucina, per la precisione, stavo finendo di mangiare. Giusto un po' di pane con del prosciutto. Non ceno mai, io».

«Chi c'è in casa?».

«Nessuno. Perché?».

«Con chi era Oscar Chabut?».

«E chi è Oscar Chabut?».

«Sarebbe meglio che lei collaborasse, altrimenti sarò costretto a portarla al Quai des Orfèvres».

«Non conosco il cognome dei miei clienti, solo il nome. Quasi tutti sono persone importanti».

«E lei apre loro la porta solo dopo aver guardato attraverso lo spioncino».

«È una casa ben frequentata, sa? Non accetto il primo che capita. Per questo la Buoncostume ci lascia in pace».

«Ha guardato dallo spioncino anche quando Chabut è uscito?».

«Cosa glielo fa pensare?».

«Forza, Lapointe, portala al Quai, chissà che lì non diventi più loquace».

«Non posso andarmene via di qui. Le dirò quello

che so. Immagino che questo Chabut sia il cliente che è uscito una mezz'ora fa».

«Era un habitué? Veniva spesso?».

«Ogni tanto».

«Una volta al mese? Una volta alla settimana?».

«Diciamo una volta alla settimana».

«Sempre con la stessa persona?».

«No, non sempre».

«Quella di oggi era una nuova?».

Esitò, e alla fine alzò le spalle.

«Non vedo perché dovrei mettermi nei guai... Nell'ultimo anno sarà venuta una trentina di volte».

«Le telefonava prima per avvisarla?».

«Come fanno tutti».

«A che ora si sono presentati?».

«Verso le sette».

«Insieme o separatamente?».

«Insieme. Ho riconosciuto subito l'auto rossa».

«Hanno ordinato da bere?».

«Era già pronto lo champagne nel secchiello del ghiaccio».

«La donna dov'è?».

«Be'... È andata via...».

«Dopo che Chabut è stato ucciso?».

Lesse un'esitazione nei suoi occhi.

«Certo che no».

«Sostiene quindi che è andata via per prima?».

«Precisamente».

«Non le credo, Blanche».

Nel corso della sua carriera spesso si era dovuto occupare di case del genere, e conosceva le abitudini. Sapeva quindi che è sempre l'uomo ad andarsene per primo, lasciando l'amica a rifarsi il trucco.

«Mi porti nella camera dove sono stati. Tu, Lapointe, sorveglia il corridoio, nessuno deve uscire. Allora, dov'erano?».

«Al primo piano. Nella camera rosa».

Le pareti erano rivestite di boiserie, la scala aveva un corrimano scolpito, la passatoia, fissata con aste fermaguida d'ottone a ogni gradino, era morbida, di colore azzurro.

«Quando l'ho vista arrivare...».

«Stava appostata dietro lo spioncino?».

«È comprensibile, no? Volevo sapere cosa diavolo stava succedendo. Quando ho visto lei, ho subito pensato che avrei avuto delle grane...».

«Su, lo ammetta: conosceva il suo cognome».

«E va bene... Sì».

«E quello della sua amichetta?».

«No, di lei so solo il nome, lo giuro. Anne-Marie. Ma io la chiamavo la Cavalletta».

«Perché?».

«Perché è alta e secca, con braccia e gambe che non finiscono più».

«Dov'è?».

«Le ho detto che è andata via per prima».

«E io non le credo».

La donna aprì una porta, e in una camera tutta ovattata si vide una cameriera intenta a cambiare le lenzuola di un letto a baldacchino. Su un tavolino rotondo c'erano una bottiglia di champagne e due coppe, una delle quali, con tracce di rossetto, conteneva ancora un po' di vino.

«Ha visto che...».

«... Che la ragazza non è né in questa camera né in bagno, certo. Quante sono le altre camere?».

«Otto».

«Ce n'è qualcuna occupata?».

«No. I miei clienti arrivano soprattutto nel tardo pomeriggio, o anche in serata. Ne aspettavo uno alle nove. Deve avere visto il capannello sul marciapiede e...».

«Mi mostri le altre camere».

Quattro si trovavano al primo piano, tutte più o meno arredate in stile Secondo Impero, con mobili massicci e una profusione di tappezzerie dai toni spenti.

«Come vede, non c'è proprio nessuno».

«Andiamo avanti».

«Scusi, ma perché avrebbe dovuto salire al piano di sopra?».

«Voglio comunque dare un'occhiata».

Le prime due camere erano effettivamente vuote, ma nella terza c'era una ragazza che se ne stava seduta, tutta rigida, su una sedia imbottita e foderata di velluto granata.

Si alzò di scatto. Era alta e sottile, quasi senza seni né fianchi.

«Chi è?» chiese Maigret.

«Quella che aspettava il cliente delle nove».

«La conosce?».

«No».

Ma la ragazza alzò le spalle. Non doveva avere nemmeno vent'anni, e ora nel suo atteggiamento c'era un certo qual menefreghismo.

«Tanto finirà comunque per scoprirlo... Lei è un poliziotto, vero?».

«Commissario Maigret».

«Sul serio?!».

Lo guardò con curiosità.

«Si occupa lei di questo caso?».

«Come vede...».

«È morto?».

«Sì».

La ragazza si girò verso Madame Blanche e la rimproverò:

«Perché mi ha mentito, dicendomi che era solo ferito?».

«E che ne sapevo, io? Non gli sono mica andata vicino».

«Lei chi è, signorina?».

«Anne-Marie Boutin. Sono la sua segretaria personale».

«Veniva spesso qui con lui?».

«Più o meno una volta alla settimana. Sempre di mercoledì, il giorno in cui teoricamente dovrei seguire un corso d'inglese».

«Scendiamo» borbottò Maigret.

Era vagamente nauseato da tutti quei colori pastello e da quelle luci soffuse che rendevano i volti come sfumati.

Si erano fermati in sala, ma nessuno si era seduto. Si sentivano delle voci, un confuso andirivieni sul marciapiede sferzato dalla tramontana gelida, mentre la casa era surriscaldata come una serra. E come in una serra c'erano enormi piante verdi dentro vasi cinesi.

«Cosa sa dell'omicidio del suo principale?».

«Quello che mi ha detto lei» disse la Cavalletta indicando Madame Blanche. «Che qualcuno gli ha sparato e lo ha ferito. E che il portinaio del palazzo vicino è uscito e probabilmente ha chiamato la polizia, visto che è arrivata pochi minuti dopo».

Il commissariato era a due passi, in avenue de Villiers.

«È più o meno morto sul colpo, no?».

«Sì».

Gli parve che fosse impallidita, ma la ragazza non pianse. Era solo come traumatizzata. Continuò meccanicamente:

«Volevo andare via subito, ma lei non ha voluto».

«Perché?» chiese Maigret a Madame Blanche.

«Sarebbe finita nelle grinfie del suo collega che era appena arrivato. Avrei preferito tenerla fuori da questa faccenda, e anche la casa... Se i giornali ficcano il naso, sarà un miracolo se non mi fanno chiudere baracca e burattini».

«Mi dica esattamente che cosa ha visto. Dove si trovava l'uomo che ha sparato?».

«Fra due macchine, proprio di fronte all'ingresso».

«L'ha visto bene?».

«No. Il lampione è piuttosto lontano. Intravedevo solo una sagoma».

«Era alto?».

«Più basso che alto, direi, largo di spalle, vestito di scuro. Ha sparato tre o quattro volte, mi sembra... Il signor Oscar si è portato le mani al ventre, ha barcollato un attimo ed è caduto in avanti».

Maigret osservava la ragazza: era spaventata, ma non mostrava alcun segno di disperazione.

«Lo amava?».

«Cosa intende dire?».

«Era la sua amante da molto tempo?».

Quella parola sembrò stupirla.

«Guardi che non era affatto come crede lei. Mi faceva un cenno quando aveva voglia di me, ma non si è mai sognato di parlare d'amore. E io non pensavo certo a lui come a un amante...».

«A che ora l'aspetta sua madre?».

«Tra le nove e mezzo e le dieci».

«Dove abita?».

«In rue Caulaincourt, vicino a place Constantin-Pecqueur».

«Dove sono gli uffici di Oscar Chabut?».

«In quai de Charenton, dopo i magazzini di Bercy».

«Ci andrà, domattina?».

«Certo».

«Forse avrò bisogno di lei. Lapointe, esci e accompagnala fino all'entrata della metropolitana, così se ci sono già giornalisti in giro non le daranno fastidio».

Rigirava in mano la pipa, come se esitasse a caricarla e ad accenderla in quell'atmosfera. Alla fine si decise.

Madame Blanche teneva le mani incrociate sul ventre rotondetto e lo guardava pacifica, come chi non ha niente da rimproverarsi.

«È sicura di non avere riconosciuto l'uomo che ha sparato?».

«Glielo giuro».

«Capitava che il suo cliente arrivasse qui con delle donne sposate?».

«Immagino di sì».

«Veniva spesso?».

«Dipende. Certe settimane lo vedevo anche varie volte, poi magari per dieci o quindici giorni non si faceva più vivo. Ma questo è capitato di rado».

«Nessuno ha chiamato per avere sue notizie?».

«No».

Il sostituto procuratore e il giudice istruttore se ne erano andati. Il freddo era ancora più pungente, e gli uomini dell'Istituto di medicina legale stavano caricando sul furgone la barella in cui avevano deposto il corpo del produttore di vino.

Gli esperti della Scientifica stavano salendo sulla loro camionetta.

«Avete trovato qualcosa?».

«I bossoli. Quattro. Calibro 6,35».

Di piccolo calibro. Un'arma da dilettante o da donna, con la quale bisogna sparare da vicino.

«Niente giornalisti?».

«Ne sono venuti due. Ma dopo un po' sono corsi via per non perdere l'edizione di provincia».

L'ispettore Fourquet aspettava pazientemente, battendo i piedi. Si teneva un fazzoletto davanti al volto per scaldarsi il naso.

«È da lì che è uscito?».

«Sì» borbottò Maigret.

«Lo comunicherà alla stampa?».

«Se possibile, preferirei che la notizia non trapelasse. Ha i suoi documenti e il portafoglio?».

Fourquet li estrasse dalla tasca e glieli consegnò.

«Dove abitava?».

«In place des Vosges. Troverà il numero sulla carta d'identità. Pensa di avvisare la moglie?».

«Meglio che sappia della disgrazia da me che non dai giornali di domani mattina».

All'angolo di avenue de Villiers si vedeva l'entrata della metropolitana di Malesherbes, da dove Lapointe stava tornando a grandi passi.

«Grazie per la telefonata, Fourquet. Mi scusi se l'ho lasciata tutto questo tempo qui fuori al gelo».

Salì in macchina chiudendo bene i finestrini, e Lapointe si mise al volante, guardando interrogativamente il capo.

«Place des Vosges».

Fecero il tragitto in silenzio. Al Parc Monceau la polvere bianca che continuava a cadere aveva formato uno strato sottile al di là della cancellata dalle punte dorate. Dopo gli Champs-Élysées presero il lungosenna, e qualche minuto più tardi si fermavano in place des Vosges.

La portinaia, invisibile nella buia guardiola, azionò l'interruttore della luce, e passando Maigret bofonchiò:

«Signora Chabut...».

La donna non fece domande. I due si fermarono al primo piano. Su una porta di quercia massiccia una targhetta di ottone recava inciso il nome di

Oscar Chabut. Erano solo le dieci e mezzo. Maigret suonò. Un minuto dopo la porta si aprì, e una giovane cameriera in grembiule e cuffietta di bisso li guardò con aria interrogativa. Era bruna, graziosa, e l'uniforme di seta nera metteva in risalto il suo corpo.

«La signora Chabut...».

«Chi devo annunciare?».

«Commissario Maigret, della Polizia giudiziaria».

«Un attimo».

Nell'appartamento c'era una radio o una televisione accesa, e si sentiva un botta e risposta di voci diverse, come in uno spettacolo teatrale. Il volume venne abbassato di colpo, e subito dopo apparve una donna in vestaglia verde smeraldo, l'aria sorpresa.

Non aveva quarant'anni ed era bella, soprattutto aggraziata, e Maigret rimase colpito dall'eleganza del suo portamento.

«Vi faccio strada, signori».

Li accompagnò in un'ampia sala, dove una grande poltrona campeggiava davanti al televisore che era appena stato spento.

«Prego, accomodatevi. Non ditemi che mio marito ha avuto un incidente...».

«Sfortunatamente sì, signora».

«È ferito?».

«Peggio».

«Vuole dire che...».

Maigret annuì.

«Povero Oscar!».

Anche lei non pianse, e si limitò a chinare la testa con aria afflitta.

«Era da solo in macchina?».

«Non si tratta di un incidente stradale. Qualcuno gli ha sparato».

«Una donna?».

«No. Un uomo».

«Povero Oscar» ripeté. «Dov'è successo?».

Vedendo Maigret esitante, spiegò:

«Non abbia timore, può dirmelo. Sapevo tutto. Da parecchio tempo non avevamo più rapporti intimi, in un certo senso non eravamo più neppure marito e moglie, soltanto una coppia di amici. Era un bravo cagnolone. La gente lo giudicava male solo perché si dava delle arie e spesso e volentieri picchiava il pugno sul tavolo».

«Conosce rue Fortuny?».

«Certo, è lì che le portava quasi tutte. Conosco anche quella deliziosa Madame Blanche, perché lui ha voluto a tutti i costi mostrarmi il posto. Le ho detto che eravamo buoni amici... Con chi era?».

«Una ragazza, la sua segretaria personale».

«La Cavalletta! È stato lui a darle quel soprannome, e adesso tutti la chiamano così».

Lapointe la fissava, sbalordito da tanta disinvoltura.

«È successo in quella casa?».

«Sul marciapiede di fronte, mentre suo marito stava andando verso la sua auto».

«Hanno preso l'assassino?».

«Ha avuto tutto il tempo di scappare verso avenue de Villiers e infilarsi nel métro. Visto che era al corrente delle avventure di suo marito, forse ha qualche idea su chi possa essere l'assassino...».

«Chiunque» mormorò lei con un sorriso disarmante. «Chiunque abbia una moglie o una fidanzata. Ci sono ancora uomini gelosi, a questo mondo...».

«Ha ricevuto lettere minatorie?».

«Non credo. Ha avuto rapporti intimi con molte delle nostre amiche, ma nessuna mi sembra sposata con un uomo in grado di uccidere.

«Non deve fraintendere, signor commissario. Mio marito non era una specie di rubacuori. E neppure un bruto, nonostante l'aspetto.

«Probabilmente la stupirò se le dico che era un timido, e che proprio per questo aveva bisogno di conferme.

«E la più efficace delle conferme era l'idea di poter avere tutte le donne che voleva».

«Lei è sempre stata consenziente?».

«All'inizio lo faceva di nascosto. Ci ho messo anni a scoprire che andava a letto con quasi tutte le mie amiche. Un bel giorno l'ho colto in flagrante. Allora abbiamo fatto una lunga chiacchierata, e alla fine ci siamo ritrovati amici.

«Capisce, adesso? Comunque per me è una grande perdita. Ci eravamo abituati l'uno all'altra. Ci volevamo bene».

«Era geloso?».

«Mi lasciava totale libertà, ma preferiva non sapere troppo. Orgoglio maschile, immagino... Il corpo adesso dov'è?».

«All'Istituto di medicina legale. Le sarei grato se andasse lì domani mattina per il riconoscimento ufficiale».

«Dov'è stato colpito?».

«Al ventre e al petto».

«Ha sofferto?».

«La morte è stata praticamente istantanea».

«La Cavalletta ha assistito all'omicidio?».

«No. Lui era andato via per primo».

«Allora era solo».

«Le chiederei di stilare, domani, una lista di quelle sue amiche... Insomma di tutte le amanti di cui lei era a conoscenza».

«Ma è stato un uomo a ucciderlo?».

«Così ha detto Madame Blanche».

«La porta era ancora aperta?».

«No. Stava guardando dallo spioncino. La ringrazio, signora Chabut, e mi creda, mi dispiace davvero di averle dato così cattive notizie. A proposito, suo marito aveva parenti a Parigi?».

«Suo padre, il vecchio Désiré. Ha settantatré anni, ma manda ancora avanti il suo bistrot in quai de la Tournelle. Si chiama Au petit Sancerre. È vedovo, e convive con una cameriera sulla cinquantina».

Quando furono in auto, Maigret si girò verso Lapointe e gli chiese:

«Allora?».

«Strana donna, eh? Lei crede a quello che ha detto?».

«Certo».

«Non sembrava molto addolorata».

«Lo sarà, lo sarà... E secondo me tra poco, quando si ritroverà a letto da sola. Non è escluso che a piangere sia la cameriera, perché di certo Chabut andava anche con lei».

«Un maniaco, insomma...».

«Più o meno. Ci sono uomini che ne hanno bisogno per credere in se stessi. Sua moglie l'ha spiegato benissimo. Quai de la Tournelle... Chissà se il bistrot è ancora aperto...».

Arrivarono proprio mentre un uomo con i capelli bianchi e un grembiule di spessa tela blu legato intorno alla vita stava abbassando la saracinesca di ferro. Attraverso la porta socchiusa si vedevano le sedie sui tavoli, la segatura sul pavimento e dei bicchieri sporchi sul bancone di zinco.

«È chiuso, signori».

«Vorremmo solo parlarle un attimo».

Aggrottò le sopracciglia.

«Parlare con me? Prima di tutto chi siete?».

«Polizia giudiziaria».

«E cosa vuole, da me, la Polizia giudiziaria?».

Entrarono, e Désiré Chabut richiuse la porta. Una grande stufa, addossata a un angolo del locale, sprigionava un gradevole calore.

«Non si tratta di lei, ma di suo figlio».

Li guardava diffidente, con imperturbabili e scaltri occhi da contadino.

«E che ha fatto mio figlio?».

«Non ha fatto nulla. Gli è capitato un incidente».

«Gli ho sempre detto che andava troppo veloce. È grave?».

«È morto».

L'uomo andò dietro il bancone, e senza dire una parola si versò un bicchierino di acquavite che buttò giù d'un fiato.

«Ne volete?» chiese.

Maigret annuì con la testa. Lapointe, che detestava l'acquavite, rifiutò.

«Dov'è successo?».

«Non si tratta di un incidente stradale. Suo figlio è stato ucciso a colpi di pistola».

«Chi è stato?».

«È quello che sto cercando di scoprire».

Neppure il vecchio si mise a piangere. Il suo volto rugoso rimase impassibile, lo sguardo duro.

«Ha visto mia nuora?».

«Sì».

«E cosa ha detto?».

«Neppure lei sa nulla».

«Sono più di cinquant'anni che abito qui. Venite con me».

Li condusse in cucina e accese la luce.

«Guardate».

Indicò una foto con un bambino di sette, otto anni che teneva in mano un cerchio, e un'altra dove lo stesso bambino indossava il vestito della prima comunione.

«È lui. È nato qui, all'ammezzato. È andato alla scuola di quartiere, e poi al liceo, ma lo hanno bocciato due volte alla maturità. Allora ha cominciato a fare il rappresentante di vini. Li vendeva porta a porta. Dopo è diventato il braccio destro di un commerciante di Mâcon che aveva una succursale a Parigi. Credetemi, non ha avuto una vita facile. Ha lavorato sodo. E quando si è sposato, quello che guadagnava bastava a malapena per viverci in due».

«Amava sua moglie?».

«Certo che la amava. Lei faceva la dattilografa nell'ufficio del suo principale. All'inizio sono andati ad abitare in un appartamentino di rue Saint-Antoine. Non hanno avuto figli. Poi Oscar si è messo in proprio, anche se io gliel'avevo sconsigliato. Ero sicuro che se ne sarebbe pentito e invece ha sfondato, ha sfondato in tutto quello che ha fatto. Ha visto le sue chiatte sulla Senna, con quelle grandi scritte "Vin des Moines"?

«Guardi, per arrivare fin lì bisogna essere dei duri. Il suo successo ha mandato in rovina vari piccoli commercianti. Naturalmente non era colpa sua. Ma loro ce l'avevano con lui, è umano».

«Intende dire che l'omicidio potrebbe essere stato commesso da un concorrente sfortunato?».

«Mi sembra la cosa più probabile, no?».

Désiré non parlò delle amanti del figlio, della possibilità che l'assassino fosse un marito o un amante geloso. Chissà se sapeva...

«Conosce qualcuno che lo odia?».

«Personalmente no, ma qualcuno c'è di sicuro. Ai magazzini di Bercy le diranno di più. Mio figlio passava per uno che pestava i piedi alla gente senza pensarci due volte».

«Veniva spesso a trovarla?».

«Praticamente mai. Da quando aveva messo su la ditta non andavamo molto d'accordo».

«Perché era senza scrupoli?».

«Per questo e per altro ancora. Lasciamo perdere».

E d'improvviso, con un indice tremante, si asciugò una lacrima, una sola, sulla guancia.

«Quando posso vederlo?».

«Domani, se vuole, all'Istituto di medicina legale».

«È più giù dall'altra parte della Senna, vero?».

Riempì due bicchieri e si scolò il suo, sempre con lo sguardo fisso. Anche Maigret bevve, e poco dopo era di nuovo in auto.

«Portami a casa, per favore. Tieni la macchina, così anche tu rientri prima...».

Era quasi mezzanotte quando, salendo per le scale, vide la porta del suo appartamento aprirsi e la moglie affacciarsi sul pianerottolo. Alle otto l'aveva avvisata che sarebbe rientrato tardi, perché pensava che con il giovane Stiernet sarebbe andata per le lunghe.

«Non hai preso freddo?».

«Ho messo appena fuori il naso. Giusto per entrare e uscire dalla macchina».

«Hai la voce da raffreddore».

«Ma non ho la tosse, e neppure il naso chiuso».

«Vedremo domani mattina... Comunque è meglio che ti prepari un grog e ti dia un paio di aspirine. Il ragazzo ha confessato?».

La signora Maigret sapeva solo che Stiernet aveva accoppato la nonna.

«Sì, immediatamente. Non ha neanche provato a negare».

«L'ha fatto per soldi?».

«È disoccupato. L'avevano appena buttato fuori dalla camera che aveva in affitto perché non pagava da due mesi».

«È un bruto?».

«No. Ha più o meno l'intelligenza e la mentalità di un bambino di dieci anni. Non si rende conto di quello che gli è successo né di quello che lo aspetta. Fa del suo meglio per rispondere alle domande, come un bravo scolaretto».

«Pensi che sia infermo di mente?».

«Questo è un problema dei giudici, non mio, per fortuna...».

«C'è qualche possibilità che gli diano un buon avvocato?».

«Sarà un giovane che in Corte d'Assise nessuno conosce, come al solito. In tasca gli sono rimasti tre franchi. Comunque non è stato lui a tenermi in ballo sino ad ora, ma un pezzo grosso che si è fatto ammazzare a pistolettate mentre usciva dalla casa d'appuntamenti più chic di Parigi».

«Torno subito, sento l'acqua che bolle. Vado a prepararti il grog».

Intanto il commissario si spogliò, si infilò il pigiama, e dopo essere rimasto un attimo incerto se caricare un'ultima pipa finì naturalmente per farlo. Ma il tabacco non sapeva già un po' di raffreddore?

2

Quando la signora Maigret arrivò con il caffè e gli toccò la spalla, ebbe la tentazione, come gli succedeva da bambino, di dirle che non si sentiva bene, e che pensava proprio di dover rimanere a letto, al caldo.

Gli doleva la testa, specie sopra il naso, e si sentiva la fronte madida di sudore. I vetri della finestra erano di un bianco lattiginoso, quasi fossero smerigliati.

Bevve un sorso, si alzò brontolando e andò a guardare fuori: i primi passanti che si affrettavano verso l'entrata della metropolitana, le mani sprofondate nelle tasche, non erano che ombre nella nebbia.

A poco a poco si svegliò. Finì di bere il caffè e rimase a lungo sotto la doccia. Poi, mentre si rasava, i suoi pensieri andarono a Chabut. C'era qualcosa, in lui, che lo affascinava.

Chi ne aveva fornito l'immagine più fedele? Per Madame Blanche era solo un cliente, uno dei migliori, sempre pronto a ordinare champagne. Aveva bisogno di spendere e spandere, di far vedere che era ricco. Probabilmente si compiaceva nel dire:

«Ho iniziato facendo il venditore porta a porta, e mio padre ha ancora un bistrot in quai de la Tournelle. A malapena sa leggere e scrivere».

Che cosa pensava veramente di lui la Cavalletta? Non aveva pianto, ma a Maigret era parso che Chabut non le fosse del tutto indifferente. Sapeva di non essere l'unica ad andare con lui nell'ovattata palazzina di rue Fortuny, ma non sembrava gelosa.

La moglie del produttore di vino lo era ancora meno. Nella memoria di Maigret riaffioravano alcune immagini che aveva registrato inconsciamente. Per esempio quel ritratto a olio, a grandezza naturale, che occupava il posto d'onore su una parete della sala in place des Vosges. Era un dipinto manierato, molto somigliante. Chabut guardava dritto davanti a sé con aria di sfida, la mano serrata, come se si preparasse a colpire.

«Come ti senti?».

«Dopo un'altra tazza di caffè sarò in piena forma».

«Prendi comunque un'aspirina e rimani il meno possibile all'aperto. Vado a chiamarti un taxi».

Quando arrivò al Quai des Orfèvres aveva ancora in testa il produttore di vino, figura incerta a cui cercava di restituire una parvenza di vita. Gli sembrava che conoscendolo meglio non avrebbe avuto difficoltà a scoprire l'assassino.

Fuori la nebbia era ancora fitta, e Maigret dovette accendere la luce. Spogliò la posta, firmò documenti amministrativi e alle nove andò a rapporto nell'ufficio del direttore.

Quando fu il suo turno, parlò brevemente di Théo Stiernet.

«Pensa che sia un minorato?».

«È quello che probabilmente sosterrà il suo avvocato, sempre che non preferisca l'argomento dell'infanzia infelice. Il fatto è che l'ha colpita una quindicina di volte, e quindi parleranno di efferatezza, tanto più che si trattava di sua nonna. Lui non si rende conto di cosa lo aspetta. Risponde buono buono alle domande. Non gli sembra di aver fatto niente di strano».

«E quella faccenda di rue Fortuny? Ne accennavano i giornali di stamattina...».

«Vedrà che ne parleranno ancora un bel po'... La vittima è un uomo ricco, in vista. E ci sono manifesti del Vin des Moines anche nei corridoi della metropolitana».

«Delitto passionale?».

«Ancora non lo so. Faceva di tutto per essere odiato, e per ora non si può escludere nessuna ipotesi».

«Usciva da una casa di appuntamenti?».

«L'ha letto sui giornali?».

«No. Ma conosco rue Fortuny, e ho subito fatto due più due».

Quando rientrò nel suo ufficio, era ancora immerso negli avvenimenti del giorno precedente. Anche Jeanne Chabut lo incuriosiva. Non aveva pianto, nemmeno lei, malgrado lo choc. Doveva essere più giovane del marito di cinque o sei anni.

Da dove le venivano l'eleganza, la disinvoltura che si percepivano in ogni minimo gesto, in ogni parola?

Lui l'aveva conosciuta ai tempi delle vacche magre, quando era una semplice dattilografa.

Oscar poteva pure vestirsi dai sarti migliori, ma restava una specie di gorilla, goffo e inelegante.

Non si capacitava di avere avuto tanto successo e sentiva il bisogno di ostentare la sua ricchezza.

Di sicuro era stata lei ad arredare l'appartamento, a parte il ritratto un po' ridicolo. Antico e moderno erano stati accostati con mano felice, creando un ambiente in cui ci si sentiva a proprio agio. A quell'ora, con ogni probabilità, si stava preparando per andare all'Istituto di medicina legale, dove dovevano avere ormai terminato l'autopsia. Avrebbe mantenuto la calma. Era senz'altro in grado di affrontare l'atmosfera deprimente di quello che una volta veniva chiamato obitorio.

«Lapointe, ci sei?».

«Sì, capo».

«Andiamo».

Indossò il pesante cappotto, si avvolse la sciarpa intorno al collo, mise il cappello e, prima di lasciare l'ufficio, si accese una pipa. In cortile, mentre salivano su una delle auto, Lapointe chiese:

«Dove andiamo?».

«In quai de Charenton».

Costeggiarono il quai de Bercy dove, dietro i cancelli, si ergevano i magazzini. Ogni fabbricato recava il nome di un importante produttore di vino, e tre dei più grandi erano quelli del Vin des Moines.

Più in là, sotto il livello della strada, c'era una specie di porto dove erano allineati decine di barili, mentre altri venivano scaricati da una chiatta. Sempre Vin des Moines. Sempre Oscar Chabut.

Il capannone, sul lato opposto della strada, era vecchio, circondato da un vasto cortile ingombro di altri barili. Sul fondo stavano caricando a bordo dei camion casse di bottiglie, e un uomo dai baffi spioventi, con un grembiule blu, sembrava sorvegliare le operazioni.

«Vengo con lei? Parcheggio la macchina in cortile».

«Sì, grazie».

Nel cortile regnava un forte odore di vinaccia, che ritrovarono anche in un largo corridoio piastrellato, dove una targa di smalto recava la scritta: «Avanti».

Sulla sinistra c'era una porta aperta, e in una stanza avvolta dalla penombra una ragazza leggermente strabica era seduta davanti a un centralino telefonico.

«I signori desiderano?».

«C'è la segretaria personale del signor Chabut?».

Li guardò sospettosa.

«Volete parlarle personalmente?».

«Sì».

«La conoscete?».

«Sì».

«Sapete quello che è successo?».

«Sì. Le dica che c'è il commissario Maigret».

Lei lo esaminò con maggiore attenzione, poi spostò lo sguardo sul giovane Lapointe, che trovò più interessante.

«Pronto! Anne-Marie? C'è qui un certo commissario Maigret con un altro di cui non so il nome. Vorrebbero vederti. Sì. D'accordo. Li faccio salire».

La scala era polverosa, e le pareti non erano state rinfrescate da tempo. Salendo incrociarono un giovane che teneva in mano un fascio di carte. Sul pianerottolo, la Cavalletta li aspettava vicino a una porta socchiusa. Li fece entrare in un ufficio piuttosto grande ma tutt'altro che lussuoso.

Sembrava che fosse stato arredato cinquant'anni prima, era buio, e vi aleggiava lo stesso acre odore di vino che avevano sentito nel cortile e nel resto dell'edificio.

«L'ha vista?».

«Chi?».

«Sua moglie».

«Sì. Lei la conosce bene?».

«Quando era ammalato mi è capitato di andare a lavorare in place des Vosges. È una bella donna, vero? Molto intelligente. Lui le chiedeva spesso consiglio».

«Pensavo di trovare un ambiente un po' più moderno...».

«In avenue de l'Opéra ci sono altri uffici molto diversi, con una insegna luminosa che prende tutta la facciata. Quelli sì che sono moderni, e anche eleganti, luminosi, confortevoli. È lì che si tengono i contatti con i quindicimila punti vendita, e che se ne creano di nuovi ogni mese. Ci sono dei calcolatori e si fa quasi tutto elettronicamente».

«E qui?».

«Questa è la vecchia ditta. Ha mantenuto l'atmosfera di una volta, cosa che rassicura i clienti che vengono dalla provincia. Chabut andava ogni giorno in avenue de l'Opéra, ma lavorava più volentieri qui».

«Lei lo accompagnava, quando ci andava?».

«Qualche volta. Non spesso. Lì aveva un'altra segretaria».

«Oltre a lui, chi dirigeva la ditta?».

«Dirigere nel vero senso della parola, nessuno. Non si fidava di nessuno. Qui c'è il signor Leprêtre, il capocantiniere, che si occupa della produzione. C'è anche un contabile, il signor Riolle, che è con noi da pochi mesi. E nell'ufficio di fronte lavorano tre dattilografe».

«Nessun altro?».

«La centralinista, che ha già visto. E poi ci sono io. È difficile da spiegare. Noi siamo una specie di stato maggiore, mentre il grosso del lavoro lo fanno in avenue de l'Opéra».

« Chabut quanto tempo si tratteneva là, ogni gior-no?».

« Un'oretta. A volte un paio».

La scrivania era a cilindro come quelle di una vol-ta, coperta di scartoffie.

« Le altre dattilografe sono giovani come lei?».

« Vuole vederle?».

« Dopo».

« La più anziana, la signorina Berthe, ha trenta-due anni, ed è qui da molto. La più giovane ne ha ventidue».

« Perché ha scelto lei come segretaria persona-le?».

« Voleva una principiante. Ho letto l'inserzione e mi sono presentata. È stato più di un anno fa. Non avevo ancora diciotto anni. Mi ha trovata divertente, e mi ha chiesto se avevo un fidanzato o un ragazzo con cui mi vedevo».

« Ne aveva?».

« No. Ero appena uscita da una scuola per segre-tarie d'azienda».

« Dopo quanto tempo ha cominciato a farle la corte?».

« Non mi ha fatto la corte. Già il giorno dopo mi ha chiamata accanto a lui con il pretesto di mostrar-mi dei documenti e mi ha accarezzata.

« "Devo farmi un'idea" ha detto».

« E poi?».

« Otto giorni dopo mi ha portato in rue Fortuny».

« Le altre non erano gelose?».

« Guardi che ci sono passate tutte».

« Qui?».

« Qui o altrove. È difficile da spiegare. Lo faceva con tanta naturalezza che era impossibile arrabbiar-si. Ne ho conosciuta solo una, arrivata dopo di me, che al terzo giorno se ne è andata sbattendo la porta».

«Chi sapeva che il mercoledì era il suo giorno?».

«Tutti quanti, credo. Scendevo insieme a lui e salivo sulla sua macchina. Non lo faceva di nascosto. Anzi».

«Prima di lei chi lavorava in questo ufficio?».

«La signora Chazeau. Adesso è dall'altra parte del corridoio. Ha ventisei anni ed è divorziata».

«È una bella donna?».

«Sì. Ha un bellissimo corpo. Non potrebbero certo chiamarla la Cavalletta...».

«E la signora Chazeau non ce l'ha con lei?».

«All'inizio mi guardava con uno strano sorriso. Probabilmente si aspettava che lui si stancasse presto».

«Continuava ad avere rapporti con lui?».

«Penso di sì, perché a volte si fermava oltre l'orario di lavoro. E tutti sapevamo che cosa voleva dire...».

«Ha mai manifestato amarezza?».

«Non in mia presenza. Le ripeto, sembrava piuttosto che mi sfottesse. Molti non mi prendono sul serio. Persino mia madre, che mi tratta sempre come se fossi ancora una bambina».

«Forse preparava la vendetta...».

«Non è il tipo. Frequentava altri uomini. Usciva quasi tutte le sere, e la mattina dopo ci metteva sempre un po' a carburare».

«La terza?».

«Aline. La più giovane dopo di me. Ha ventidue anni, è molto bruna, un po' lunatica, sempre un tantino sopra le righe. Stamattina è svenuta, oppure ha fatto finta, e poi si è messa a piangere, a lamentarsi...».

«Era qui già prima che lei arrivasse?».

«Sì. Aveva già lavorato in un grande magazzino, poi ha letto l'annuncio. Tutte quante sono state assunte dopo aver risposto a un annuncio...».

«Nessuna era passionale al punto di spargargli?».

Madame Blanche diceva di avere intravisto dallo spioncino la sagoma di un uomo tra due auto. Ma non avrebbe potuto trattarsi di una donna? Magari con i pantaloni? Era buio.

«No, non direi proprio...» replicò la Cavalletta.

«Neanche sua moglie?».

«Lei non è gelosa. Fa la vita che le piace. Per lei era un compagno gradevole».

«Gradevole?».

La ragazza sembrò riflettere.

«Se lo si conosceva bene, sì. Di primo acchito sembrava borioso, aggressivo. Recitava la parte del grande industriale. Con le donne, poi, dava per scontato che cadessero subito tutte ai suoi piedi. Ma conoscendolo meglio ti rendevi conto che forse era più ingenuo di quanto non sembrasse. E anche più vulnerabile.

«"Cosa pensi di me?" chiedeva spesso, soprattutto dopo aver fatto l'amore.

«"Cosa vuole che pensi...".

«"Mi ami? Secondo me no... Dài, ammettilo".

«"Dipende da cosa intende. Sto bene con lei, se è quello che vuole sapere".

«"Se mi stancassi di te, cosa succederebbe?".

«"Non so. Dovrei rassegnarmi".

«"E le altre, lì di fronte, cosa dicono?".

«"Niente. Lei le conosce meglio di me"».

«E gli uomini?» chiese Maigret.

«Quelli che lavorano qui? Vediamo, c'è il signor Leprêtre, di cui le ho parlato. Una volta aveva una ditta sua. Ma gli mancava la stoffa dell'uomo d'affari. Adesso ha quasi sessant'anni. Parla poco. Conosce il suo mestiere alla perfezione e lavora zitto zitto».

«Sposato?».

«Sì. Ha due figli. Abita in una villetta in fondo al lungosenna, a Charenton, e viene al lavoro in bicicletta».

Fuori la nebbia aveva assunto una sfumatura rosata, lasciando intuire il sole, e la Senna fumava. Lapointe prendeva appunti su un taccuino che teneva appoggiato al ginocchio.

«Quando gli affari hanno cominciato ad andargli male, il Vin des Moines esisteva già?».

«Penso di sì».

«Come si comportava con Chabut?».

«Era sempre rispettoso, ma teneva le distanze».

«Litigavano mai?».

«Non in mia presenza, e visto che ero quasi sempre qui...».

«Se ho ben capito, è un uomo chiuso...».

«Chiuso e triste. Credo di non averlo mai visto ridere, e con quei suoi baffi spioventi sembra ancora più triste».

«Chi altri lavora nell'azienda?».

«Il contabile, Jacques Riolle. Meglio dire il cassiere. Il suo ufficio è di sotto. Si occupa solo di certe fatture, di quella che chiamiamo la piccola cassa. Sarebbe troppo lungo spiegarle come funziona l'azienda. La vera fatturazione si fa in avenue de l'Opéra, dove si tiene anche la corrispondenza con i magazzini. Qui ci occupiamo più che altro degli acquisti e dei rapporti con i viticultori che arrivano periodicamente dal Midi».

«Riolle non è innamorato di una di voi?».

«Se lo è, non si vede. Giudicherà lei stesso. È sui quaranta, uno scapolo incallito, che sa di muffa. È

42

timido, pauroso, con un sacco di piccole manie. Vive in una pensione familiare del Quartiere Latino».

«Nessun altro?».

«Negli uffici no. Di sotto, nelle cantine e al reparto spedizioni, sono in cinque o sei. Li conosco di nome e di vista, ma con loro non ho praticamente nessun contatto. Lei starà pensando che siamo un po' strani, vero? Se avesse conosciuto il padrone, troverebbe tutto assolutamente naturale».

«Le mancherà?».

«Sì. Lo ammetto».

«Le faceva dei regali?».

«Non mi ha mai dato soldi. È capitato che mi regalasse una sciarpa che aveva visto passando davanti a un negozio».

«E adesso cosa succederà?».

«Non so chi dirigerà la ditta. In avenue de l'Opéra ci sarebbe il signor Louceck, che è una specie di consulente finanziario. È lui, fra l'altro, che si occupa della dichiarazione dei redditi e dei bilanci. Solo che di vino non sa niente...».

«E il signor Leprêtre?».

«Le ho già detto che non era un grande uomo d'affari».

«La signora Chabut?».

«Immagino sarà lei a ereditare tutto, ma non so se prenderà il posto del marito. Le capacità, forse, le avrebbe. È una donna che sa quello che vuole».

La guardava con attenzione, sorpreso dal buonsenso di quella ragazzina che nessuna domanda riusciva a prendere alla sprovvista. C'era in lei qualcosa di diretto che la rendeva simpatica, e vedendola gesticolare con quelle lunghe braccia sottili non si poteva fare a meno di sorridere.

«Ieri sera sono andato in quai de la Tournelle».

«A trovare il vecchio? Mi scusi... Avrei dovuto dire il padre».

«Com'erano i rapporti tra i due?».

«Non buoni, a quanto mi risulta».

«Perché?».

«Non so. Devono essere vecchie storie. Credo che il padre trovasse il figlio senza scrupoli, insensibile. Da lui non ha mai accettato niente, e magari è per provocazione che, nonostante l'età, non ha ancora ceduto il locale».

«Chabut parlava di lui qualche volta?».

«Raramente».

«Non le viene in mente altro da dirmi?».

«No».

«Lei ha altri amanti?».

«No. Lui per me era più che sufficiente».

«Continuerà a lavorare qui?».

«Se mi tengono».

«Dov'è l'ufficio del signor Leprêtre?».

«Al pianterreno. Le finestre danno sul cortile di servizio».

«Passo un attimo dalle sue colleghe».

Anche qui le luci erano accese, e due delle ragazze battevano a macchina, mentre la terza, che sembrava la più anziana, archiviava la corrispondenza.

«Restate comode. Sono il commissario incaricato dell'inchiesta e probabilmente avrò occasione di vedervi una per una. Quello che vorrei sapere subito è se qualcuna di voi ha dei sospetti».

Si scambiarono uno sguardo, e la signorina Berthe, una rotondetta sulla trentina, arrossì leggermente.

«Lei ha un'idea?» le chiese.

«No. Non so niente. Sono rimasta di sasso, come le altre».

«Ha saputo dell'omicidio dai giornali?».

«No. È arrivando qui che...».

«Vi risulta che avesse dei nemici?».

Le donne si scambiarono di nuovo uno sguardo furtivo.

«Non siate imbarazzate. Ho saputo molte cose sul tipo di vita che faceva e in particolare sui suoi rapporti con le donne. Potrebbe trattarsi di un marito, o di un fidanzato, oppure di una donna gelosa».

Nessuna di loro sembrava intenzionata a parlare.

«Pensateci. Anche un minimo particolare può essere importante».

Scese insieme a Lapointe. Al pianterreno Maigret aprì la porta del contabile, che corrispondeva in tutto e per tutto alla descrizione che ne aveva fatto la Cavalletta.

«È da tanto che lavora in questa ditta?».

«Cinque mesi. Prima lavoravo in una pelletteria dei Grands Boulevards».

«Era al corrente delle avventure del suo principale?».

Arrossì, fece per aprir bocca ma non trovò le parole.

«Fra le persone che incontrava qui, ce n'era qualcuna che aveva motivo di odiarlo?».

«Perché avrebbero dovuto odiarlo?».

«Negli affari era spietato, no?».

«Diciamo che non era un sentimentale».

Si pentì subito della risposta, chiedendosi come avesse potuto azzardare un'opinione.

«Conosce la signora Chabut?».

«A volte mi portava le fatture dei suoi fornitori. Altrimenti me le spediva per posta. Una signora molto gentile, alla mano».

«La ringrazio».

Per ultimo, il malinconico signor Leprêtre dai baffi spioventi. Lo trovarono nel suo ufficio, che era ancora più antiquato e più provinciale degli altri. Seduto davanti a un tavolo verniciato di nero su cui c'erano dei campioni di vino, guardò entrare i due uomini con aria diffidente.

«Immagino che lei sappia perché siamo qui».

Si limitò ad annuire con la testa. Uno dei suoi baffi era più lungo dell'altro, e fumava una pipa di schiuma che diffondeva un odore penetrante.

«A quanto pare, qualcuno aveva una buona ragione per uccidere il suo principale. Lavora qui da molto tempo?».

«Tredici anni».

«Andava d'accordo con il signor Chabut?».

«Non mi sono mai lamentato».

«Chabut si fidava completamente di lei, vero?».

«Lui si fidava solo di se stesso».

«La considerava comunque come uno dei suoi più stretti collaboratori».

Il volto di Leprêtre non esprimeva alcuno stato d'animo. Indossava uno strano berrettino, e Maigret pensò che gli servisse per nascondere la calvizie. In ogni caso, non fece nemmeno il gesto di toglierselo.

«Ha qualcosa da dirmi?».

«No».

«Non le ha mai confidato che qualcuno lo minacciava?».

«No».

Inutile insistere... Maigret fece cenno a Lapointe di seguirlo.

«Grazie».

«Di niente».

E Leprêtre si alzò per chiudere la porta alle loro spalle.

In macchina il raffreddore che Maigret aveva covato sino a quel momento scoppiò improvvisamente, e per un bel po' dovette soffiarsi il naso di continuo, tanto che alla fine aveva il volto arrossato e gli occhi che lacrimavano.

«Scusami, ragazzo mio» mormorò rivolto a Lapointe. «Me lo sentivo addosso da stamattina. Avenue de l'Opéra! Ci siamo dimenticati di chiedere il numero».

Era comunque impossibile sbagliare, perché una grande insegna, che la sera diventava luminosa, annunciava: Vin des Moines. L'edificio, massiccio e imponente, ospitava altre aziende importanti, fra le quali una banca straniera e una società fiduciaria.

Al secondo piano si trovarono in un ampio ingresso dal soffitto alto e dal pavimento di marmo, arredato con tavolini cromati e modernissime poltroncine metalliche per lo più vuote. Sulle pareti, tre manifesti pubblicitari come quelli che si vedevano nelle stazioni della metropolitana. Raffiguravano un frate dall'aria giuliva e le labbra carnose che si accingeva a bere un bicchiere di vino.

Sul primo manifesto il vino era rosso, sul secondo bianco e sul terzo rosato.

Al di là di un divisorio di vetro, una trentina di persone fra uomini e donne era al lavoro in un grande ufficio, e in fondo una seconda vetrata permetteva di intravedere altri uffici. Gli ambienti erano luminosi, gli apparecchi recenti, e i mobili all'ultima moda.

Maigret si avvicinò allo sportello di accoglienza, ma dovette nuovamente estrarre di tasca il fazzoletto proprio mentre stava per rivolgersi a una receptionist che, senza mostrare segni di impazienza, attese che avesse finito di soffiarsi il naso.

«Mi scusi. Vorrei vedere il signor Louceck».

«Chi lo desidera?».

Gli porse un modulo su cui era stampato: *Cognome e nome*, e su un'altra riga: *Motivo della visita*.

Si limitò a scrivere: *Commissario Maigret*.

La ragazza scomparve dietro alla porta che stava di fronte alla prima finestra e rimase assente per un bel po'. Dopodiché uscì dal grande ufficio e li fece accomodare in una seconda sala d'attesa, più raccolta ma non meno moderna.

«Il signor Louceck vi riceverà subito. È al telefono».

In effetti l'attesa non fu lunga. Un'altra ragazza con gli occhiali venne a prelevarli e li condusse in un ampio ufficio che dava la stessa impressione di modernità di tutto il resto.

Un uomo molto basso si alzò dalla sedia e tese la mano.

«Commissario Maigret?».

«Sì».

«Stéphane Louceck. Si accomodi».

Maigret presentò il suo compagno:

«L'ispettore Lapointe».

«Si accomodi anche lei, prego».

Era decisamente brutto, e di una bruttezza che non ispirava alcuna simpatia. Aveva il naso lungo, bitorzoluto, con sottili striature bluastre, e peli neri gli uscivano dalle narici così come dalle orecchie. Le sopracciglia, spesse un paio di centimetri, erano folte e cespugliose. Il completo che indossava avrebbe avuto bisogno di una bella stirata, e la cravatta doveva essere di quelle a nodo fisso.

«Immagino che sia qui per via dell'omicidio».

«Certo».

«Pensavo che voi della polizia vi sareste fatti vivi prima. Non leggo mai i giornali del mattino perché comincio a lavorare molto presto, e quindi ho saputo la notizia solo quando me l'ha comunicata per telefono la signora Chabut».

«Ignoravo che esistessero questi uffici e quindi per prima cosa siamo andati in quai de Charenton. Se ho capito bene, Oscar Chabut lavorava soprattutto lì».

«Passava comunque di qui ogni giorno. Voleva sempre controllare tutto di persona».

Aveva un volto anodino, inespressivo, e anche la voce era priva di qualsiasi inflessione.

«Mi permetta una domanda: che lei sappia, aveva dei nemici?».

«Che io sappia, no».

«Era un uomo importante, e magari con qualcuno, nella sua ascesa, non ha avuto il cuore tenero...».

«Lo ignoro».

«Pare che avesse anche una certa inclinazione per le donne».

«Non mi occupavo della sua vita privata».

«Dov'era il suo ufficio?».

«Dividevamo il mio».

«Ci veniva con la sua segretaria privata?».

«No. Il personale di avenue de l'Opéra è sufficiente».

Non faceva neppure lo sforzo di sorridere, né di esprimere un qualsivoglia sentimento.

«È da molto che lavora con lui?».

«Lavoravo per lui quando questi uffici non esistevano ancora».

«Che mestiere faceva, prima?».

«Consulente finanziario».

«Immagino che lei si occupasse delle sue dichiarazioni dei redditi».

«Fra le altre cose».

«Adesso sarà lei a sostituirlo?».

Maigret dovette soffiarsi di nuovo il naso, e si sentì la fronte imperlata di sudore.

«Mi scusi...».

«Si figuri. Mi è difficile rispondere alla sua domanda. L'azienda non è una società anonima, ed essendo di proprietà del signor Chabut, se non ci sono disposizioni testamentarie diverse passa a sua moglie».

«È in buoni rapporti con lei?».

«La conosco poco».

«Lei era il braccio destro di Oscar Chabut?».

«Mi occupavo delle vendite e dei magazzini. Abbiamo più di quindicimila punti vendita in Francia. Qui lavorano quaranta impiegati, e una ventina di ispettori battono a tappeto la provincia. Di Parigi e della banlieue si occupano altri uffici al piano di sopra, che curano anche la pubblicità e le vendite all'estero».

«Quante donne ci sono tra il personale?».

«Scusi?».

«Le ho chiesto quante donne o ragazze sono alle vostre dipendenze».

«Non saprei».

«Chi le sceglieva?».

«Io».

«Oscar Chabut non aveva voce in capitolo?».

«Qui no, affatto».

«Non ne corteggiava qualcuna?».

«Non mi sono mai accorto di niente del genere».

«Se ho capito bene, lei è l'uomo chiave di tutto il settore vendite».

Si limitò a rispondere con un battito di ciglia.

«È dunque probabile che conserverà il suo impiego, e che assumerà anche la direzione di quai de Charenton».

Non proferì verbo, impassibile.

«Tra i dipendenti c'è qualcuno che potrebbe avere motivi di lagnarsi del principale?».

«Lo ignoro».

«Immagino che lei si auguri che l'assassino venga arrestato».

«È evidente».

«Finora non mi è stato molto utile».

«Mi spiace».

«Cosa pensa della signora Chabut?».

«È una donna molto intelligente».

«Andava d'accordo con lei?».

«Mi ha già rivolto una domanda più o meno identica e le ho risposto che la conosco poco. Praticamente qui non metteva mai piede, e io non frequentavo place des Vosges. Non sono tipo da cene e da serate in società».

«Chabut faceva vita mondana?».

«Sua moglie potrà risponderle meglio di quanto possa fare io».

«Che lei sappia, esiste un testamento?».

«Lo ignoro».

Maigret, cui girava un po' la testa, sentiva che non avrebbe cavato un ragno dal buco. Louceck era deciso a non sbottonarsi, e sarebbe stato zitto fino alla fine.

Il commissario si alzò.

«Vorrei che mi facesse pervenire al Quai des Orfèvres un elenco con nome, indirizzo ed età di tutte le persone che lavorano qui».

Louceck, imperturbabile, si limitò a un lieve cenno di assenso. Premette un bottone e sulla soglia apparve una ragazza, pronta a ricondurre i visitatori all'uscita.

Prima di risalire in macchina, Maigret entrò in un bar e ordinò un rum. Sperava che gli avrebbe fatto bene. Lapointe si accontentò di un succo di frutta.

«Che facciamo?».

«È quasi mezzogiorno. Troppo tardi per andare in place des Vosges. Torniamo in ufficio. Poi mangeremo un boccone alla Brasserie Dauphine».

Entrò nella cabina telefonica e chiamò casa sua, in boulevard Richard-Lenoir.

«Sei tu? Che c'è per pranzo? No, non rientro, ma tienimela da parte per stasera. Lo so che ho la voce un po' rauca. È un'ora che mi soffio il naso. A stasera...».

Era piuttosto di cattivo umore.

«Tutti quanti, chi più chi meno, avevano motivo di augurarsi la sua scomparsa. Solo una persona però è andata fino in fondo e gli ha sparato. Gli altri sono innocenti, eppure, anziché aiutarci, si direbbe che cerchino di metterci i bastoni fra le ruote. Tranne forse quel bel tipo della Cavalletta, che non sta lì a pesare ogni parola e sembra che risponda alle domande con sincerità. E tu cosa pensi di lei?».

«È un bel tipo, come dice lei. Prende la vita di petto e non si lascia incantare».

Sulla scrivania di Maigret c'era il rapporto del medico legale. Più di quattro pagine infarcite di termini tecnici e due schizzi che mostravano la traiettoria delle pallottole. Due avevano colpito l'addome, una il torace, e la quarta era penetrata poco sotto la spalla.

«Nessuna telefonata per me?».

Si girò verso Lucas.

«Hai mandato il rapporto all'ufficio del procuratore?».

Si riferiva all'interrogatorio di Stiernet.

«Sì, già stamattina presto. Ho anche fatto un salto da lui nel carcere provvisorio».

«Come sta?».

«È tranquillo. Quasi sereno, direi. Non gli importa niente di essere in galera e di certo non si fa il sangue amaro...».

Un po' più tardi Maigret e Lapointe entravano nella Brasserie Dauphine. C'erano due avvocati in toga e tre o quattro ispettori che, pur non essendo membri della sua squadra, salutarono Maigret. Si diressero verso la sala da pranzo.

«Cosa c'è di buono, oggi?».

«Sarà contento: blanquette di vitello».

«Che ne pensa del Vin des Moines?».

Il proprietario alzò le spalle.

«Non è peggio del vino che una volta si vendeva sfuso. Una miscela di vino algerino e di vari vini del Midi. Ma oggi come oggi la gente preferisce una bottiglia con una bella etichetta e un nome più o meno altisonante».

«Lei lo tiene?».

«Ma figuriamoci... Vi porto un bel Bourgueil? Accompagnerà perfettamente la blanquette».

Un momento dopo Maigret estraeva dalla tasca il fazzoletto.

«Ci risiamo! Appena entro in un posto riscaldato, ricomincia».

«Perché non se ne va a letto?».

«Pensi che riuscirei a riposare? Continuo a pensare a quel Chabut. Si direbbe che abbia fatto di tutto per complicarci la vita».

«Cosa pensa di sua moglie?».

«Per ora niente. Ieri sera l'ho trovata seducente e molto padrona di sé, nonostante quello che è successo. Forse un po' troppo padrona di sé. Sembra che nei riguardi del marito assumesse un ruolo protettivo. La moglie indulgente. La vedremo presto... Forse mi farà cambiare idea. Diffido sempre degli esseri troppo perfetti».

La blanquette era tenera al punto giusto, nella

sua salsa dorata, ricca di aromi. Mangiarono una pera ciascuno, poi bevvero un caffè, e poco dopo le due entravano nel palazzo di place des Vosges.

Venne ad aprire la stessa cameriera della sera precedente, che li fece accomodare in anticamera e andò ad avvisare la padrona.

Quando tornò non li condusse nella sala, ma in un boudoir più distante, dove Jeanne Chabut non tardò a raggiungerli.

Portava un vestito nero semplicissimo ma dal taglio perfetto, e non aveva addosso alcun gioiello.

«Accomodatevi, signori. Stamattina sono andata là... E a pranzo non sono riuscita a toccare cibo».

«Immagino che porteranno qui il corpo...».

«Oggi pomeriggio alle cinque. Prima verrà l'impresario delle pompe funebri per decidere dove allestire la camera ardente. Probabilmente in questa stanza: la sala è troppo grande».

Il boudoir, rischiarato da un'alta finestra che scendeva fin quasi al pavimento, era luminoso e accogliente come il resto dell'appartamento, ma con un tocco più femminile.

«Ha scelto lei i mobili e la tappezzeria?».

«Sì, mi sono sempre interessata a queste cose. Avrei voluto fare l'arredatrice. Mio padre ha una libreria in rue Jacob, nel quartiere degli antiquari, vicino all'Istituto di belle arti».

«Allora come mai faceva la dattilografa?».

«Volevo essere indipendente. Pensavo che avrei potuto seguire dei corsi serali, ma mi sono resa conto che era impossibile. Poi ho incontrato Oscar».

«È diventata la sua amante?».

«Già la prima sera. Visto il tipo, la cosa non dovrebbe stupirla...».

«È stato lui il primo a parlare di matrimonio?».

«Mi ci vede a chiedergli di sposarmi? Probabilmente era stufo di vivere da solo in un alberghetto, dove si preparava i pasti su un fornello a spirito. All'epoca guadagnava pochissimo».

«Lei ha continuato a lavorare?».

«I primi due mesi. Poi lui non ha più voluto. Può sembrare strano, ma era molto geloso».

«Fedele?».

«Così credevo».

Maigret la osservava provando un vago malessere, come se intuisse confusamente che qualcosa non quadrava. Il volto era bello, ma troppo immobile, come se si fosse affidata alle mani di uno specialista di chirurgia estetica.

Quasi non batteva ciglio. Gli occhi erano grandi, azzurri, e lei li sgranava come per farli apparire ancora più innocenti.

Rimase in silenzio mentre il commissario si soffiava il naso.

«Mi scusi...».

«Ho pensato alla lista che mi ha chiesto, e ho provato a farla».

Andò a prendere un foglio di carta da lettere su una scrivania Luigi XV. Aveva una grafia chiara e ferma, senza fronzoli.

«Ho riportato solo i nomi di chi ha una moglie che probabilmente ha avuto rapporti intimi con mio marito».

«Non ne ha la certezza?».

«Per la maggior parte, no. Ma dal modo in cui lui ne parlava e si comportava quando davamo una serata, non ci mettevo molto a capire».

Lesse i nomi sottovoce.

«Henry Legendre».

«Industriale. Fa la spola fra Parigi e Rouen. Marie-France è la sua seconda moglie e ha quindici anni meno di lui».

«Geloso?».

«Penso di sì. Ma lei è molto più scaltra di lui. Hanno una proprietà a Maisons-Laffitte, dove ricevono ogni fine settimana».

«Le è mai capitato di andarci?».

«Una volta sola, perché la domenica anche noi ricevevamo nella nostra villa a Sully-sur-Loire. D'estate invece andavamo a Cannes, dove siamo proprietari degli ultimi due piani di un palazzo nuovo, vicino al Palm Beach, e anche del tetto, che abbiamo trasformato in una specie di giardino...».

«Pierre Merlot» lesse Maigret.

«Agente di cambio. Lucile, sua moglie, è una biondina con il naso a punta che, a quarant'anni suonati, ha ancora un'aria molto sbarazzina. Oscar deve averla trovata divertente».

«Il marito era al corrente?».

«Certo che no. È un accanito giocatore di bridge, e quando davamo una serata si chiudeva sempre con qualcuno in questa stanza per giocare».

«Suo marito non giocava?».

«Non a quel genere di giochi».

Ebbe un sorriso incerto.

«Jean-Luc Caucasson».

«Editore di libri d'arte. Ha sposato una giovane modella piuttosto sboccata che fa morire dal ridere».

«Avvocato Poupard. Il penalista?».

Era un principe del foro, e il suo nome compariva spesso sui giornali. Sua moglie era americana e aveva un grosso patrimonio.

«Non ha mai avuto sospetti?».

«Gli capitano spesso udienze in provincia. Hanno uno splendido appartamento nell'Île Saint-Louis».

«Xavier Thorel. Il ministro?».

«Sì. Xavier è un amico delizioso».

«Ne parla come se fosse più un suo amico».

«Gli voglio molto bene. Quanto a Rita, si getta su qualsiasi uomo incontri».

«Lui lo sa?».

«È ormai rassegnato. O meglio, le rende la pariglia».

Altri nomi, altri cognomi: un architetto, un medico, Gérard Aubin, della banca Aubin et Boitel, un celebre sarto di rue François-Ier.

«La lista potrebbe essere più lunga, perché conosciamo molta gente, ma ho preferito includere solo le donne che hanno quasi certamente avuto rapporti intimi con Oscar».

D'un tratto chiese:

«È andato da suo padre?».

«Sì».

«Che cosa le ha detto?».

«Mi è sembrato che i suoi rapporti col figlio fossero piuttosto freddi».

«Solo da quando Oscar ha cominciato a guadagnare molto. Voleva che il padre lasciasse il suo bistrot e si è offerto di comprargli una bella proprietà a Sancerre, vicino alla fattoria dove il vecchio è nato. Non sono riusciti a capirsi. Désiré ha pensato che volessimo sbarazzarci di lui».

«E il suo, di padre?».

«Ha sempre la libreria. Mia madre vive all'ammezzato e non esce più di casa, perché cammina con difficoltà e ormai è debole di cuore».

La cameriera bussò alla porta ed entrò.

«C'è il signore delle pompe funebri».

«Gli dica che arrivo subito».

E rivolta ai due uomini:

«Vi prego di scusarmi. Nei prossimi giorni sarò molto occupata. Comunque, se scoprite qualcosa di nuovo o avete bisogno di altre informazioni, non abbiate timore di disturbarmi».

Rivolse loro un sorriso stereotipato e con passo flessuoso li accompagnò alla porta.

In anticamera incontrarono l'addetto delle pompe funebri, che riconobbe Maigret e lo salutò con deferenza.

La nebbia, che nel primo pomeriggio si era in gran parte diradata, a poco a poco stava tornando a infittirsi, e tutto appariva sfumato.

Quanto a Maigret, si soffiò per l'ennesima volta il naso, bofonchiando Dio solo sa cosa.

3

Maigret non si era mai sentito a suo agio in quell'ambiente, con quella borghesia opulenta che lo faceva sentire goffo e fuori posto. Le persone della lista che Jeanne Chabut gli aveva consegnato, per esempio, appartenevano tutte, chi più chi meno, a una stessa cerchia che aveva le sue regole, le sue abitudini, i suoi tabù, il suo linguaggio. Si ritrovavano a teatro, al ristorante, nei locali notturni, la domenica in case di campagna che si assomigliavano tutte, e d'estate a Cannes o a Saint-Tropez.

A Oscar Chabut si leggeva in faccia da dove veniva. Eppure, sudando sette camicie, era riuscito ad arrampicarsi sino a quel piccolo mondo, e per essere sicuro di farne parte sentiva il bisogno di andare a letto con ogni donna che gli capitava a tiro.

«Dove andiamo, capo?».

«In rue Fortuny».

Sprofondato nel sedile, l'aria tetra, il commissario guardava distrattamente le vie e i boulevard che sfilavano al di là del finestrino. I lampioni erano accesi e gran parte delle finestre illuminate. E poi c'erano ghirlande luminose sospese da un marciapiede all'altro, abeti dorati o argentati, alberi di Natale dappertutto.

Incurante del freddo e della nebbia, la folla invadeva le strade, andava da una vetrina all'altra, faceva la coda nei negozi. Si chiese cosa avrebbe potuto regalare alla signora Maigret, ma non gli venne in mente niente. Continuava a soffiarsi il naso, e non vedeva l'ora di infilarsi a letto.

«Quando saremo lì, ti darò la lista, e tu cerca un po' di appurare dove si trovava ognuno di loro mercoledì sera intorno alle nove».

«Devo interrogarli?».

«Solo se non puoi recuperare informazioni altrimenti. Se parli con gli autisti o con i domestici, per esempio, riesci magari a sapere qualcosa».

Il povero Lapointe non era esattamente entusiasta del compito che gli veniva affidato.

«Crede che sia uno di loro?».

«Può essere chiunque. Questo Oscar doveva stare sulle scatole a tutti. In ogni caso agli uomini. Resta pure in macchina. Non ne ho per molto».

Suonò alla porta della palazzina, e senza che si fosse sentito un rumore di passi lo spioncino non tardò a socchiudersi. Madame Blanche lo fece entrare di malavoglia.

«Che cosa vuole ancora da me? A quest'ora aspetto dei clienti, e sarebbe meglio che la polizia non si facesse vedere in casa».

«Le spiace dare un'occhiata a questa lista?».

Entrarono in sala, dove soltanto due lampade erano accese. La donna andò a prendere gli occhiali sul pianoforte a coda e diede una scorsa alla lista di nomi.

«Cosa vuole che le dica?».

«Se fra queste persone c'è qualcuno che è suo cliente».

«Tanto per cominciare le ho già detto che i miei clienti li conosco solo per nome, e che i cognomi non si dicono mai».

«Ma siccome io la conosco bene, sono sicuro che comunque di loro sa tutto».

«Abbiamo un rapporto confidenziale con i nostri clienti, come i medici o gli avvocati, e non vedo perché non dovremmo aver diritto anche noi al segreto professionale».

Dopo avere pazientemente ascoltato, Maigret mormorò:

«Risponda».

E la donna sapeva bene che con lui non l'avrebbe spuntata.

«Ce ne sono due o tre».

«Quali?».

«Il signor Aubin, Gérard Aubin, il banchiere. Appartiene al mondo dell'alta finanza protestante, e prende un sacco di precauzioni perché non si sappia niente».

«Viene spesso?».

«Due o tre volte al mese».

«Porta con sé qualcuno?».

«La signora arriva sempre per prima».

«Sempre la stessa?».

«Sì».

«Gli è mai capitato di incontrare Chabut in corridoio o per le scale?».

«Faccio in modo che cose del genere non accadano».

«Può averlo intravisto sul marciapiede, o aver riconosciuto la sua auto... Anche sua moglie è venuta qui?».

«Sì, con il signor Oscar».

«Chi altri conosce?».

«Marie-France Legendre, la moglie dell'industriale».

«È venuta spesso?».

«Quattro o cinque volte».

«Sempre insieme a Chabut?».

«Sì. Non conosco il marito. Può essere che frequenti la casa sotto altro nome. Alcuni clienti lo fanno. Per esempio il ministro, Xavier Thorel. Mi telefona in anticipo perché gli procuri una ragazza, possibilmente indossatrice o modella. Si fa chiamare signor Louis, ma siccome sui giornali appare spesso una sua foto, tutti lo riconoscono».

«C'è qualcuno che preferisce venire il mercoledì?».

«No. Non hanno un giorno fisso».

«La signora Thorel è una delle amanti di Oscar Chabut?».

«Rita? È venuta qui sia con lui che con altri. È una brunetta provocante che non può fare a meno degli uomini. Ma non credo che sia per il sesso. Ha soprattutto bisogno che ci si occupi di lei».

«La ringrazio».

«Ha finito con me?».

«Non so».

«Se deve tornare, sia gentile, mi dia un colpo di telefono, così eviterò incontri che mi procurerebbero parecchi fastidi. La ringrazio di non aver parlato di me ai giornalisti».

Maigret raggiunse Lapointe. Con quella visita non aveva fatto passi avanti, ma non avendo ancora scovato il bandolo della matassa era costretto a cercare un po' in tutte le direzioni.

«E adesso, capo?».

«A casa mia».

La fronte gli scottava, gli occhi gli pizzicavano, e sentiva un dolore alla spalla sinistra.

«Coraggio, vecchio mio. Hai la lista? Passa al Quai per farla fotocopiare, prima che ci tocchi chiederla di nuovo alla signora Chabut».

La signora Maigret si stupì nel vederlo rientrare in anticipo.

«Sembri molto raffreddato. Per questo sei rientrato così presto?».

Il volto di Maigret sembrava coperto di condensa.

«Mi chiedo se non sto covando un'influenza. Non sarebbe proprio il momento».

«Strana storia, vero?».

La maggior parte delle volte, e anche questa non faceva eccezione, erano i giornali e la radio a informarla del caso di cui si stava occupando Maigret.

«Scusa un attimo. Devo fare una telefonata».

Chiamò rue Fortuny. Madame Blanche rispose subito con voce soave.

«Sono Maigret. Poco fa ho dimenticato di chiederle una cosa. Chabut la avvisava prima di venire?».

«A volte sì, a volte no».

«Mercoledì ha telefonato?».

«No. Era inutile, visto che veniva quasi tutti i mercoledì».

«Chi lo sapeva?».

«Qui nessuno».

«A parte la cameriera...».

«È una giovane spagnola che capisce il francese a stento e non ricorda mai i nomi...».

«Eppure qualcuno era al corrente, qualcuno sapeva che Chabut verso quell'ora sarebbe uscito dalla palazzina, e ha aspettato fuori, nonostante il freddo».

«Mi scusi, devo andare, hanno suonato alla porta».

Maigret si spogliò, infilò il pigiama e la vestaglia e si sedette nella sua poltrona di pelle in salotto.

«La tua camicia è fradicia. È meglio che ti misuri la febbre».

Andò in bagno a prendergli il termometro, che lui tenne in bocca per cinque minuti.

«Quanto?».

«Trentotto e quattro».

«Perché non te ne vai subito a letto? Non vuoi che chiami il dottor Pardon?».

«Se tutti i suoi pazienti dovessero scocciarlo per una semplice influenza!».

Detestava disturbare i medici, e soprattutto il suo vecchio amico Pardon, che raramente riusciva a finire un pasto in santa pace.

«Ti preparo il letto».

«Aspetta. Mi hai tenuto da parte la choucroute?».

«Non vorrai mica mangiarla, spero».

«Perché no?».

«È pesante, e tu non stai bene...».

«Scaldamela lo stesso. E non dimenticare lo zampetto».

Tornava sempre allo stesso punto. Qualcuno sapeva che quel mercoledì Chabut si sarebbe trovato in rue Fortuny. Era poco probabile che fosse stato seguito. Innanzitutto a Parigi è difficile seguire una persona, specialmente in macchina. E poi il produttore di vino era arrivato verso le sette insieme alla Cavalletta.

Era ipotizzabile che l'assassino avesse aspettato quasi due ore all'esterno, nella tramontana, per di più senza farsi notare? D'altra parte non poteva essere arrivato in auto, perché dopo il delitto si era precipitato verso la stazione del métro di Malesherbes.

Quei pensieri gli turbinavano in testa disordinatamente, e doveva fare uno sforzo per riuscire a riflettere.

«Cosa vuoi bere?».

«Birra. Non vedo cos'altro potrei bere con una choucroute».

Gli era sembrato di avere più appetito di quanto

ne avesse realmente, e non tardò ad allontanare il piatto. Non era da lui andare a letto alle sei e mezzo di sera, ma lo fece lo stesso. La signora Maigret gli portò due aspirine.

«Che altro potresti prendere?... Mi sembra che l'ultima volta, tre anni fa, Pardon ti avesse prescritto una medicina che ti ha fatto un gran bene».

«Non mi ricordo...».

«Davvero non vuoi che gli telefoni?».

«No. Chiudi le tende e spegni la luce».

Dieci minuti più tardi era già coperto di sudore, e i suoi pensieri cominciavano a sfilacciarsi. Poco dopo dormiva.

La notte gli sembrò lunghissima. Si svegliò ripetutamente, il naso tappato, la respirazione difficoltosa. Per un po' di tempo rimaneva allora in uno stato di dormiveglia, e quasi ogni volta sentiva o credeva di sentire la voce di sua moglie.

A un certo punto la vide in piedi davanti al letto. Teneva in mano un pigiama pulito.

«Devi cambiarti. Sei bagnato fradicio. Quasi quasi cambio anche le lenzuola».

Non oppose resistenza, l'occhio spento. Poi si ritrovò in una chiesa che assomigliava alla sala di Madame Blanche, ma molto più grande. Lungo il corridoio centrale sfilavano alcune coppie, come durante un matrimonio. Qualcuno suonava il pianoforte, ma quella che si sentiva era una musica d'organo.

Aveva una missione da compiere, ma non sapeva quale, e Oscar Chabut lo guardava con aria beffarda. Via via che le coppie gli passavano davanti, salutava le donne chiamandole per nome.

Di nuovo si ritrovò quasi sveglio. Con sollievo vide finalmente la camera immersa in una luce grigiastra, e sentì che dalla cucina arrivava l'odore del caffè.

«Ti sei svegliato?».

Non sudava più. Era stanco, ma non accusava alcun malessere.

«Mi porti il caffè?».

Gli sembrò di non aver bevuto da molto tempo un caffè così buono. Lo assaporò a piccoli sorsi.

«Mi passi la pipa e il tabacco, per favore? Che tempo fa?».

«C'è un po' di nebbia, ma non come quella di ieri. Vedrai che fra un po' uscirà il sole».

Ogni tanto, da bambino, si era finto malato perché non aveva fatto i compiti. E adesso non era un po' la stessa cosa? No, in fondo aveva avuto la febbre...

Prima di dargli la pipa, la signora Maigret gli tese il termometro, che lui infilò docilmente sotto la lingua.

«Trentasei e cinque. Più bassa del normale».

«Dopo tutta quella sudata...».

Fumò, bevve un'altra tazza di caffè.

«Spero che ti prenderai almeno una giornata di riposo...».

Non rispose subito. Era incerto. Era piacevole starsene sotto le coperte, soprattutto adesso che non aveva più mal di testa. Lapointe stava lavorando sugli alibi di ciascuno degli uomini della lista.

Era scoraggiante. L'inchiesta segnava il passo. E la cosa lo irritava ancor più perché gli sembrava che fosse tutta colpa sua, dal momento che la verità era sicuramente a portata di mano e sarebbe bastato riflettere.

«Ci sono novità sui giornali?».

«Sostengono che stai seguendo una pista».

«Esattamente il contrario di quello che ho detto».

Alle nove aveva bevuto tre grandi tazze di caffè, e nella camera aleggiava il fumo azzurrino della pipa.

«Cosa fai?».

«Mi alzo».

«Vuoi uscire?».

«Sì».

Lei non insistette, sapendo che sarebbe stato inutile.

«Vuoi che chiami il Quai per chiedere che uno dei tuoi ispettori venga a prenderti in macchina?».

«Buona idea. Lapointe deve essere fuori. Chiedi se Janvier è libero. No. Dimenticavo che sta seguendo un'inchiesta. Ci dovrebbe essere Lucas...».

In piedi si sentiva meno bene che a letto, e provò una leggera vertigine. Mentre si radeva, poi, la mano gli tremò, tanto che si ferì leggermente.

«Spero che almeno rientrerai per pranzo. Cosa ci guadagni a farti venire un accidente?».

Aveva ragione, ma era più forte di lui. La moglie gli annodò la spessa sciarpa intorno al collo, e dal pianerottolo lo seguì con lo sguardo mentre scendeva per le scale.

«Buongiorno, Lucas. Il gran capo non mi ha cercato?».

«Gli ho detto che ieri sera non stava bene».

«Niente di nuovo?».

«Lapointe è andato a caccia tutta la sera. Stamattina è già uscito con la lista. Dove vuole che la porti?».

«In quai de Charenton».

Il posto gli era ormai familiare, e salì subito al primo piano seguito da Lucas, per il quale invece tutto era nuovo. Bussò alla porta, la aprì e trovò la Cavalletta al suo posto che batteva a macchina.

«Sono ancora io. Le presento l'ispettore Lucas, il mio più vecchio collaboratore».

«Ha l'aria stanca».

«Lo sono, infatti. Senta, ho alcune domande importanti da rivolgerle, una in particolare».

Si sedette al posto di Chabut, davanti alla scrivania a cilindro.

«Chi sapeva che mercoledì lei e il suo principale sareste andati in rue Fortuny?».

«Qui?».

«Qui o altrove».

«Qui lo sapevano tutti. Oscar era tutto il contrario di un uomo discreto. Quando aveva una nuova amante, gli piaceva farlo sapere al mondo intero».

«Uscivate insieme?».

«Sì. E salivamo sulla sua macchina, che non passa certo inosservata».

«E questo succedeva più o meno tutti i mercoledì?».

«Più o meno».

«Il signor Louceck era al corrente?».

«Non lo so. Veniva qui molto di rado. Era il capo che ogni giorno passava un paio d'ore in avenue de l'Opéra».

«Mi può descrivere la sua giornata?».

«Posso farlo in maniera un po' approssimativa, perché il programma non era sempre lo stesso. Di solito usciva di casa verso le nove del mattino, al volante della Jaguar, lasciando l'autista e la Mercedes a disposizione della moglie. Prima si fermava in quai de Bercy, per dare un'occhiata ai magazzini dove si fanno le miscele e l'imbottigliamento».

«Chi dirige quel lavoro?».

«In linea di massima lo controlla il signor Leprêtre, che fa la spola, ma c'è anche una specie di vicedirettore, uno di Sète, mi sembra...».

«Viene anche qui?».

«Raramente».

«È al corrente della sua relazione col proprietario?».

«Può darsi che gliene abbiano parlato».

«Le ha mai fatto la corte?».

«Credo che non mi abbia neppure notata».

«Va bene. E dopo?».

«Verso le dieci Chabut arrivava qui e smaltiva la posta. Se aveva uno o più appuntamenti, ero io a ricordarglieli. Riceveva spesso dei fornitori che arrivavano dal Midi».

«Come si comportava con lei?».

«A seconda dei giorni. Certe mattine si accorgeva appena della mia presenza, altre volte mi diceva:

«"Vieni qui".

«E mi sollevava la gonna. Non gli importava che la porta non fosse chiusa a chiave, e facevamo l'amore su un angolo della scrivania».

«Siete mai stati sorpresi?».

«Due o tre volte da una delle dattilografe, e una volta dal signor Leprêtre. Le dattilografe non ci facevano caso, perché a loro capitava la stessa cosa».

«E poi a che ora se ne andava?».

«Quando rientrava a casa per pranzo, verso mezzogiorno. Se mangiava fuori, cosa che capitava spesso, verso le dodici e mezza».

«Lei dove mangia?».

«A duecento metri da qui, sul lungosenna. C'è una trattoria che non è male».

«E il pomeriggio?».

Il bravo Lucas non perdeva una parola, sbalordito, e scrutava la Cavalletta dalla testa ai piedi senza riuscir bene a inquadrarla.

«Quasi sempre passava in avenue de l'Opéra, dove rimaneva fin verso le quattro. Condivideva un ufficio con il signor Louceck».

«Aveva delle avventure anche là?».

«Non credo. È un ambiente molto diverso, quello, c'è un'altra atmosfera. E poi credo che la presenza del signor Louceck lo avrebbe imbarazzato. È il solo di cui sembrava avere un po' paura. Be', paura forse è esagerato. Diciamo che non lo trattava come gli altri, e credo che non lo abbia mai strapazzato».

«Verso le quattro tornava qui?».

«Tra le quattro e le quattro e mezza. Dedicava un po' di tempo al signor Leprêtre. A volte andava a veder scaricare una chiatta. Poi saliva, chiamava una dattilografa e dettava delle lettere».

«A lei non ne dettava?».

«Di rado. Semmai lettere personali... Aveva bisogno di qualcuno, in ufficio, davanti a cui pensare ad alta voce. Una persona senza importanza. Quello era il mio ruolo. Se anche non avessi lavorato per niente, sarebbe stato lo stesso».

«A che ora se ne andava?».

«Di solito verso le sei, a meno che non avesse voglia di rimanere un po' con me o con una delle altre ragazze».

«Non passava mai la serata con lei?».

«Solo il mercoledì, fin verso le nove».

«Usciva sempre dopo di lui dalla casa di Madame Blanche?».

«No. A volte uscivamo insieme e lui mi riaccompagnava addirittura in rue Caulaincourt, fino a cento metri dal mio palazzo. Mercoledì scorso era di fretta, e gli ho detto di non aspettarmi».

«Provi a pensarci ancora. Cerchi di ricostruire chi era al corrente delle vostre serate in rue Fortuny».

Dopo essersi soffiato il naso, si rimise in testa il cappello. La signora Maigret aveva ragione: era uscito il sole, e faceva scintillare la Senna.

«Vieni, Lucas. Grazie, signorina».

Quando la macchina svoltò per entrare nel cortile della Polizia giudiziaria, lo sguardo di Maigret incrociò quello di un uomo in piedi vicino al parapetto del lungosenna. Fu un attimo. Al momento il commissario non gli diede importanza, anche perché subito dopo l'uomo, trascinando un po' una gamba, si diresse verso place Dauphine.

«L'hai notato?» chiese poi a Lucas.

«Chi?».

«Un tizio con un impermeabile. Era qui fuori, di fronte al portone, e guardava le finestre. Quando gli siamo passati davanti mi ha fissato. Sono sicuro che mi ha riconosciuto».

«Un barbone?».

«No. Era sbarbato e vestito come si deve. Anche se non avrà molto caldo, con addosso solo l'impermeabile...».

Arrivato in ufficio, Maigret stava ancora pensando allo sconosciuto e d'istinto andò a guardare dalla finestra. Ovviamente era scomparso.

Cercò di capire che cosa l'avesse tanto colpito in quell'uomo. Forse l'intensità dello sguardo... Lo sguardo patetico di un essere che è alle prese con un grave problema o una grande sofferenza.

Aveva forse lanciato una specie di appello al commissario?

Alzò le spalle, caricò una pipa e si sedette alla scrivania. Chissà perché continuava ad avere improvvise vampate di calore al volto, ed era costretto ad asciugarsi il sudore.

Aveva promesso alla signora Maigret che sarebbe rientrato a pranzo, ma si era dimenticato di chiederle che cosa avrebbe preparato. Gli piaceva saperlo fin dal mattino, in modo da poterlo pregustare.

Squillò il telefono, e lui sollevò la cornetta.

«Una chiamata per lei, signor commissario. È uno che non vuole dire né come si chiama né perché vuole parlarle. Glielo passo lo stesso?».

«Sì, passamelo. Pronto!...».

«Il commissario Maigret?» chiese una voce sommessa.

«Sono io».

«Volevo solo dirle di non preoccuparsi per il produttore di vino. Era un vero mascalzone».

Maigret chiese:

«Lo conosceva bene?».

Ma l'uomo all'altro capo del filo aveva già riattaccato. Il commissario fece altrettanto, fissando pensieroso il telefono. Forse era quel che cercava da quando era morto Chabut: un punto di partenza.

La telefonata non aveva svelato nulla, certo, se non il fatto che in quella faccenda qualcuno, probabilmente l'assassino, era tra coloro che non possono restare nell'anonimato. Allora scrivono, oppure telefonano. E non sono necessariamente pazzi.

Aveva conosciuto parecchi casi simili, e almeno in un'occasione il criminale non aveva avuto pace fino a quando non era stato arrestato.

La testa pesante, smaltì la posta e firmò alcuni rapporti e altri documenti amministrativi, che gli davano da lavorare quasi quanto le inchieste.

A mezzogiorno andò a piedi sino al boulevard du Palais, e dopo un attimo di esitazione entrò nel caffè all'angolo. Aveva la bocca impastata, ed era indeciso su che cosa bere. Visto che il giorno prima aveva preso un rum, ne ordinò uno anche questa volta. In realtà finì per berne due, perché il bicchiere era decisamente piccolo.

Un taxi lo riportò a casa, dove salì lentamente le scale. Quando arrivò in cima, la porta si aprì e sua moglie, guardandolo, gli chiese:

«Come stai?».

«Meglio. A parte il fatto che due o tre volte ho avuto delle improvvise vampate di calore. Cosa c'è da mangiare?».

Si tolse il cappotto, la sciarpa, il cappello, ed entrò nel soggiorno.

«Fegato di vitello à la bourgeoise».

Era uno dei suoi piatti preferiti. Si sedette in poltrona e diede un'occhiata ai giornali, sovrappensiero.

Forse l'uomo che gli aveva telefonato era quello che aveva notato sul lungosenna, di fronte all'entrata della Polizia giudiziaria...

Bisognava aspettare che richiamasse. Magari gli avrebbe addirittura telefonato a casa, visto che i giornali avevano spesso parlato del suo appartamento in boulevard Richard-Lenoir. E poi quasi tutti i tassisti conoscevano il suo indirizzo.

«A cosa stai pensando?» chiese la signora Maigret mentre apparecchiava.

«A un tipo che ho incontrato prima. I nostri sguardi si sono incrociati, e adesso ho l'impressione che volesse mandarmi una specie di messaggio».

«Con uno sguardo?».

«E perché no? Non so se sia stato lui a telefonare più tardi, per dirmi che Chabut era un vero mascalzone. Sono le sue precise parole. Ha riattaccato prima che avessi il tempo di fargli qualche domanda».

«Speri che ti richiami?».

«Sì. Lo fanno quasi sempre. Scherzare col fuoco li eccita. A meno che non sia solo un povero squilibrato che di tutta la faccenda sa solo quello che hanno detto i giornali. Anche questo capita, a volte...».

«Non vuoi che accenda la televisione?».

Pranzarono quasi in silenzio. Maigret continuava a pensare all'inchiesta e ai suoi protagonisti.

«Se non ne vuoi più, quello che resta lo mangiamo freddo domani come antipasto».

Il fegato di vitello gli piaceva ancora di più freddo, il giorno dopo. Come dessert mangiò noci, fichi e mandorle. Aveva bevuto solo due bicchieri di Bordeaux, ma si sentiva intontito, e andò a sedersi in poltrona, vicino alla finestra.

Chiuse gli occhi, e per un bel po' rimase come sospeso tra la veglia e il sonno. Si rendeva conto che a poco a poco si stava addormentando. Era una sensazione piacevole, e non voleva che si dissipasse.

Rivide l'uomo sul lungosenna, con la gamba matta. Chissà se era la destra o la sinistra... Nel suo torpore, l'interrogativo assunse un'importanza che gli sarebbe stato difficile spiegare.

La signora Maigret andava e veniva in silenzio, sparecchiando la tavola, e lui si rendeva conto dei suoi movimenti solo perché a volte sentiva una lieve corrente d'aria.

Poi tutto svanì. Non si accorse nemmeno di respirare a bocca aperta, russando leggermente. Quando di colpo si svegliò, stupito di trovarsi nella sua poltrona, la pendola segnava le tre e cinque. Si guardò intorno cercando sua moglie. Dai rumori sommessi provenienti dalla cucina capì che stava stirando.

«Hai dormito bene?».

«Magnificamente. Potrei andare avanti a dormire tutto il giorno».

«Non vuoi misurarti la febbre?».

«Se ci tieni».

Questa volta aveva trentasette e sei.

«Devi per forza andare in ufficio?».

«Sì, è meglio che ci vada».

«Prendi almeno un'aspirina prima di uscire».

Docilmente ne prese una, e per cancellarne il sapore si versò poi un bicchierino di una prunella che la cognata mandava loro dall'Alsazia.

«Ti chiamo subito un taxi».

Il cielo era sereno, di un azzurro un po' pallido, e splendeva il sole, ma non per questo il freddo era meno intenso.

«Vuole che accenda il riscaldamento, capo? Mi sembra un po' raffreddato. Pensi che a casa ho moglie e figli con l'influenza. Quando comincia uno poi la attacca a tutti. Vedrà che domani o dopo toccherà a me...».

«Per carità, niente riscaldamento. Già non faccio altro che sudare».

«Anche lei? Da stamattina mi è già successo tre o quattro volte di ritrovarmi in un bagno di sudore».

La scala gli parve più ripida del solito, e fu con sollievo che alla fine andò a sedersi alla sua scrivania. Chiamò Lucas.

«Niente di nuovo?».

«No, capo».

«Nessuna telefonata anonima?».

«No. Lapointe è appena arrivato, e penso che voglia parlarle».

«Digli di venire».

Scelse una delle pipe allineate sulla scrivania, la più leggera, e la caricò lentamente.

«Hai già quelle informazioni?».

«Sì, più o meno tutte. Ho avuto fortuna».

«Siediti. Passami la lista».

«Non riuscirebbe a decifrare i miei appunti. Preferisco leggerglieli io, poi stenderò un rapporto. Cominciamo dal ministro, Xavier Thorel. Non ho dovuto interrogare nessuno. Ho letto sui giornali di giovedì che rappresentava il governo alla prima mondiale di un film sulla Resistenza».

«Insieme alla moglie?».

«Sì, Rita era con lui, e c'era anche il figlio diciottenne».

«Continua».

«Ho poi realizzato che a quel galà c'erano altre persone della lista, ma che i loro nomi non erano apparsi sui giornali. Ad esempio il dottor Rioux, che abita in place des Vosges, a due passi dal palazzo dei Chabut».

«Chi te l'ha detto?».

«La sua portinaia, banalmente. Le vecchie fonti d'informazione sono ancora le migliori. Sembra che sia il medico curante della signora Chabut».

«È spesso ammalata?».

«Sembra che lo chiami di frequente. È un uomo grassoccio, con pochi capelli castani e un bel riporto per nascondere la calvizie. Sua moglie è una cavallona con i capelli rossi, che sicuramente non era il tipo di Oscar Chabut».

«E due. Poi?».

«Henry Legendre, l'industriale, era a Rouen, dove possiede un pied-à-terre. Ci va una o due volte alla settimana. Me lo ha detto l'autista, che mi ha preso per un rappresentante».

«Sua moglie?».

«È a letto da una settimana con l'influenza. Quanto a Pierre Merlot, l'agente di cambio, non sono riuscito a sapere niente, salvo che dovrebbe aver cenato fuori. Lui e la moglie Lucile lo fanno spesso. Non ho avuto il tempo di verificare nei grandi ristoranti. Pare che sia un buongustaio».

«Caucasson, l'editore d'arte?».

«Nello stesso cinema degli Champs-Élysées dove si trovava il ministro».

«L'avvocato Poupard?».

«A una cena ufficiale data dall'ambasciatore degli Stati Uniti, in avenue Gabriel».

«La signora Poupard?».

«Era lì anche lei. C'è anche una certa signora Japy, Estelle Japy, vedova o divorziata, che abita in boulevard Haussmann ed è stata per molto tempo una delle amanti di Chabut. Per avere informazioni sul suo conto ho dovuto fare la corte alla cameriera.

76

Da mesi non frequentava più Chabut. Pare che si sia comportato male con lei. Mercoledì ha cenato a casa da sola e ha passato la serata a guardare la televisione».

Squillò il telefono. Maigret sollevò la cornetta.

«Chiedono di lei. Credo che sia lo stesso uomo di stamattina».

«Passamelo».

Ci fu un silenzio prolungato, durante il quale Maigret sentì il respiro del suo interlocutore.

«È in linea?» finì per chiedere quest'ultimo.

«Sì, la ascolto».

«Volevo solo ripeterle che era un mascalzone. Se lo ficchi bene in testa».

«Aspetti».

Ma aveva già riattaccato.

«Forse è l'assassino, o forse solo un mitomane. Impossibile stabilirlo, sinché continua a riattaccarmi il telefono in faccia. E impossibile anche rintracciarlo. Bisogna che sia lui a lasciarsi scappare qualcosa, o a commettere un'imprudenza».

«Cosa le ha detto?».

«La stessa cosa di stamattina: che Chabut era un mascalzone».

Un bel po' di gente doveva pensarla come lui, compresi alcuni degli ospiti abituali di Chabut. Con il suo atteggiamento verso le donne, e con il suo modo di trattare i dipendenti, aveva fatto di tutto per attirarsi l'antipatia, se non l'odio.

Come se ci provasse gusto a provocare gli altri. Ma, a quanto pareva, fino al mercoledì precedente nessuno lo aveva mai rimesso al suo posto. O forse era stato schiaffeggiato e aveva evitato di vantarsene... Possibile che nessun uomo geloso gli avesse mollato un cazzotto sul muso?

Era insolente, e così sicuro di sé che si permetteva di sfidare la sorte.

Ma qualcuno, un uomo a detta di Madame Blanche, alla fine ne aveva avuto abbastanza e lo aveva aspettato davanti alla palazzina di rue Fortuny. Quel qualcuno doveva avere motivi ancora più solidi di tutti gli altri per odiarlo, perché uccidendolo aveva messo in gioco la propria libertà, se non la propria vita.

Bisognava cercare fra i suoi amici? Le informazioni raccolte da Lapointe erano piuttosto deludenti. Si uccide sempre di meno, soprattutto in un certo ambiente, per vendicare una disavventura coniugale.

Forse l'assassino faceva parte del gruppo che lavorava in quai de Charenton, o era un dipendente di avenue de l'Opéra.

Ed era poi quell'uomo senza nome che aveva telefonato due volte al commissario per scaricarsi la coscienza?

«Avevi finito con la tua lista?».

«Ci sono ancora Philippe Bourdel e la sua compagna. È il critico teatrale di un importante quotidiano. Assistevano a un'anteprima al teatro della Michodière. Poi Trouard, l'architetto, che ha cenato da Lipp con un noto costruttore».

Quanti altri non erano sulla lista e tuttavia avevano ottime ragioni per detestare il produttore di vino? Sarebbe stato necessario interrogare decine e decine di persone, uomini e donne, uno a uno, a quattrocchi. Era impensabile, ovviamente, e per questo Maigret si aggrappava al suo sconosciuto interlocutore telefonico, che forse era l'uomo che aveva visto la mattina accanto al parapetto.

«Sa quando ci saranno i funerali?».

«No. Quando ho lasciato la signora Chabut, aveva appuntamento con il rappresentante delle pompe funebri. Il corpo dovrebbe essere stato trasferito in place des Vosges nel tardo pomeriggio di ieri. A proposito, perché non andiamo a dare un'occhiata?».

Poco più tardi erano diretti verso place des Vosges. Al primo piano trovarono la porta accostata, ed entrando furono subito investiti dall'odore dei ceri e dei crisantemi.

Oscar Chabut giaceva nella bara ancora aperta. Una donna di una certa età, in lutto stretto, era inginocchiata su un pregadio, e una giovane coppia stava di fronte al morto, illuminato dalla fiamma danzante dei ceri.

Chi era l'anziana signora in lutto? Forse la madre di Jeanne Chabut? Era possibile. Anzi, probabile. Quanto alla coppia, sembrava a disagio, e dopo un rapido segno della croce l'uomo portò fuori la sua compagna.

Maigret seguì il rituale e disegnò una croce nell'aria con il ramoscello di olivo benedetto. Lapointe lo imitò, con una compunzione quasi comica.

Anche da morto Chabut faceva una certa impressione con quel suo volto forte, dai tratti grossolani forse, ma non privo di un certa bellezza.

Mentre i due uomini uscivano, nel corridoio apparve la signora Chabut.

«Siete venuti per parlare con me?».

«No. Siamo venuti a rendere l'estremo saluto a suo marito».

«Sembra che dorma, vero? Hanno fatto un buon lavoro. Lo avete visto praticamente come era da vivo, ma purtroppo senza il suo sguardo».

Li condusse istintivamente verso l'ingresso, sul lato opposto dell'anticamera.

«Vorrei porle una domanda, signora» mormorò all'improvviso Maigret.

Lei lo guardò con curiosità.

«Mi dica».

«Desidera veramente che si scopra l'assassino di suo marito?».

Non se l'aspettava, e per un attimo rimase come senza fiato.

«Perché dovrei augurarmi che quell'uomo resti in libertà?».

«Non so. Se lo troviamo ci sarà un processo, un processo che farà scalpore, e la stampa, la radio e la televisione ne parleranno diffusamente. Ci sarà anche tutta una sfilata di testimoni. Verranno ascoltate le impiegate di suo marito. Alcune racconteranno sicuramente la verità. Forse anche qualche amica di suo marito...».

«Capisco cosa intende dire» mormorò con l'aria di chi riflette e soppesa i pro e i contro.

«È evidente» aggiunse poi «che ci sarà un grosso scandalo».

«Non ha risposto alla mia domanda».

«A dire il vero, mi è indifferente. Non sono per la vendetta. Chi l'ha ucciso pensava certamente di avere buoni motivi per farlo. E forse ne aveva. Quale vantaggio trarrebbe la società mettendolo in prigione per una decina d'anni, o magari fino alla fine dei suoi giorni?».

«Devo dedurne che se avesse qualche indizio circa la sua identità lo terrebbe per sé...».

«Ma le cose non stanno così, e non ci ho ancora pensato. Sarebbe comunque mio dovere parlare, no? Quindi credo che parlerei, anche se di malavoglia».

«Chi prenderà in mano la gestione degli affari di suo marito? Louceck?».

«Quell'uomo mi fa paura. Sembra un animale a sangue freddo, e detesto il suo modo di guardare...».

«Eppure suo marito sembrava avere fiducia in lui...».

«Louceck gli ha fatto guadagnare molto denaro. È un uomo astuto, che conosce benissimo le leggi e il modo di servirsene. All'inizio si occupava solo delle dichiarazioni dei redditi, poi, a poco a poco, è riuscito a diventare il suo vice».

«Chi ha avuto l'idea del Vin des Moines?».

«Mio marito. Allora si faceva tutto in quai de Charenton. È stato Louceck a consigliare di aprire degli uffici in avenue de l'Opéra e di moltiplicare i magazzini in provincia, in modo da aumentare il numero dei punti vendita».

«Suo marito lo considerava onesto?».

«Aveva bisogno di lui. Ed era in grado di difendersi».

«Lei non ha risposto alla mia domanda. Sarà lui a dirigere l'azienda?».

«Probabilmente rimarrà al suo posto, almeno per un po', ma non salirà di grado».

«Chi avrà il potere?».

«Io».

Lo disse semplicemente, come se fosse cosa ovvia.

«Ho sempre avuto la stoffa della donna d'affari, e mio marito si faceva spesso consigliare da me».

«Il suo ufficio sarà in avenue de l'Opéra?».

«Sì, solo che non lo dividerò con Louceck come faceva Oscar. Non mancano certo i locali».

«E andrà nei magazzini, nelle cantine e negli uffici di quai de Charenton?».

«Perché no?».

«Ha in previsione cambiamenti fra il personale?».

«Per quale ragione dovrebbero esserci cambiamenti? Forse perché tutte le ragazze, o quasi, sono andate a letto con mio marito? Allora non dovrei più vedere neppure le mie amiche, salvo quelle di una certa età».

Entrò una giovane donna, minuta e vivace, che abbracciò la padrona di casa mormorando:

«Mia povera cara...».

«Mi scusi, signor commissario...».

«Si figuri».

Mentre scendeva le scale asciugandosi la fronte con il fazzoletto, Maigret borbottò:

«Strana donna».

Qualche gradino più in basso aggiunse:

«Posso sbagliarmi, ma questa storia non è affatto finita».

Se non altro Jeanne Chabut aveva il merito di essere franca...

Erano quasi le cinque quando bussarono discreta-
mente alla porta dell'ufficio di Maigret. Senza aspettare risposta, il vecchio Joseph, decano degli uscieri,
si fece avanti e tese una scheda al commissario.

Nome: Jean-Luc Caucasson
Motivo della visita: caso Chabut

«Dove l'ha messo?».
«Nell'acquario».
Veniva così chiamata una sala d'attesa con tre pareti a vetri, dove stazionava sempre qualche visitatore.
«Lo lasci marinare ancora per un po' e poi me lo
porti».
Maigret si soffiò ripetutamente il naso, andò a
piazzarsi per qualche minuto davanti alla finestra, e
alla fine bevve un sorso dell'acquavite che teneva
sempre di riserva nell'armadio.
Continuava a sentirsi appannato, e aveva la sgra-
devole sensazione di fluttuare in un universo di
ovatta.

Si stava accendendo la pipa, in piedi vicino alla scrivania, quando Joseph annunciò:

«Il signor Caucasson».

Questi non sembrava intimidito dall'atmosfera del Quai des Orfèvres. Avanzò tendendo la mano:

«È al commissario Maigret che ho l'onore di...».

Ma il commissario si limitò a bofonchiare:

«Si accomodi, prego».

E anche lui, dopo aver fatto il giro della scrivania, andò a sedersi al suo posto.

«Lei è un editore d'arte, se non vado errato».

«Esatto. Conosce il mio negozio di rue Saint-André-des-Arts?».

Maigret evitò di rispondere e guardò come trasognato il suo interlocutore. Era un bell'uomo, alto e slanciato, con una folta capigliatura grigia ben pettinata. Anche il completo e il cappotto erano grigi, e aveva sulle labbra un sorrisetto di sufficienza che doveva essergli abituale. Faceva pensare a un animale di razza, a un levriere afgano, per esempio.

«Mi scusi se la disturbo, tanto più che per lei la mia visita è certo di secondaria importanza. Ero un amico di Oscar Chabut...».

«Lo so. So anche che mercoledì lei ha assistito alla prima mondiale di un film sulla Resistenza. Il film è cominciato solo alle nove e mezza, e quindi lei avrebbe avuto tutto il tempo di coprire il tragitto fra rue Fortuny e gli Champs-Élysées».

«Sospetta di me?».

«Fino a prova contraria, sospetto più o meno di tutti quelli che sono stati in rapporti con Chabut. Conosce Madame Blanche?».

Esitò un istante, ma si decise in fretta.

«Sì. Mi è capitato di andarci».

«Con chi?».

«Con Jeanne Chabut. Sapeva che il marito era un

habitué di quella casa, e voleva vederla con i suoi occhi».

«Lei è l'amante della signora Chabut?».

«Lo sono stato. E ho ragione di credere che ne abbia avuti altri».

«A quando risale la vostra relazione?».

«Sono circa sei mesi che non ci vediamo».

«Andava da lei in place des Vosges?».

«Sì. Quando il marito partiva per il Midi, il che capitava quasi ogni settimana».

«È per questo che è venuto da me?».

«No. Ho solo risposto alle sue domande. Quello che volevo chiederle è se ha trovato le lettere».

Maigret lo scrutò aggrottando le sopracciglia.

«Quali lettere?».

«Le lettere personali che Oscar riceveva. Non quelle di lavoro, ovviamente. Immagino che le conservasse in place des Vosges, o magari in quai de Charenton».

«E lei vorrebbe rientrare in possesso di quelle lettere?».

«Meg... È mia moglie... Meg, dicevo, ha la mania di scrivere lunghe lettere, nelle quali mette tutto ciò che le passa per la testa...».

«Sono queste le lettere che lei vuole recuperare?».

«Ha avuto una lunga relazione con Oscar. Li ho sorpresi insieme, e lui è parso seccato».

«Era innamorato?».

«Non è mai stato innamorato in vita sua. Lei era solo una delle tante prede da mettere nel carniere».

«E lei era geloso?».

«Ho finito per farmene una ragione».

«Sua moglie ha avuto altre avventure?».

«Sì, lo devo ammettere...».

«Se ho ben capito, sua moglie era l'amante di

Chabut e lei era l'amante della signora Chabut. È più o meno così?».

Nella voce di Maigret, nel suo atteggiamento, c'era una velata ironia che l'editore di libri d'arte non colse.

«Anche lei ha scritto delle lettere?».

«Tre o quattro».

«Alla signora Chabut?».

«No. A Oscar».

«Per lamentarsi della sua relazione con Meg?».

«No».

Era arrivato al punto cruciale, e si sforzava di apparire disinvolto.

«Lei non può rendersi conto di quale sia la situazione di un editore d'arte. La clientela è scarsa, i volumi estremamente costosi. Una tiratura si esaurisce nell'arco di parecchi anni, e rappresenta un capitale considerevole.

«Il che spiega come mai abbiamo ancora bisogno di mecenati».

Più ironico che mai, Maigret chiese in tono di falsa innocenza:

«Il signor Chabut era un mecenate?».

«Era molto ricco. Guadagnava soldi a palate. Ho pensato che avrebbe potuto aiutarmi e...».

«Gli ha scritto?».

«Sì».

«Proprio quando era l'amante di sua moglie?».

«Le due cose non hanno alcun rapporto».

«Li aveva già sorpresi?».

«Non ricordo bene le date, ma credo di sì».

Appoggiato allo schienale della sedia, Maigret pigiava con il dito la cenere nella pipa.

«Lei era già l'amante di Jeanne Chabut?».

«Sapevo che non avrebbe capito. Vi riferite ancora alla buona vecchia morale borghese, che nel nostro ambiente non ha più senso. Per noi questi rapporti sessuali sono privi d'importanza».

«Capisco. In altre parole, lei si rivolgeva a Oscar Chabut solo perché era ricco».

«Esatto».

«Avrebbe anche potuto rivolgersi a un banchiere, o a un industriale che non conosceva».

«Se mi fossi trovato con le spalle al muro, sì».

«E lo era, con le spalle al muro?».

«Avevo in mente un'opera importante, su certi aspetti dell'arte asiatica».

«In quelle lettere c'erano frasi di cui è pentito?».

Era sempre più a disagio, ma riusciva a conservare una certa dignità.

«Diciamo che potrebbero essere male interpretate».

«Ci sono, insomma, persone superficiali, persone dalle idee ristrette ed estranee al vostro mondo che potrebbero pensare a un ricatto. Dico bene?».

«Più o meno».

«Ha insistito molto?».

«Gli ho scritto tre o quattro lettere».

«Tutte sullo stesso argomento? A distanza ravvicinata?».

«Avevo fretta di mettere il libro in cantiere. Uno dei massimi esperti di arte orientale mi aveva già consegnato il testo».

«Ha pagato?».

Caucasson scosse la testa.

«No».

«È rimasto molto deluso?».

«Sì. Da lui non me lo aspettavo. Evidentemente non lo conoscevo a sufficienza».

«Si è mostrato duro, vero?».

«Duro e sprezzante».

«Le ha risposto per iscritto?».

«Non se ne è dato la pena. Una sera dava un cocktail per una trentina di amici, e io l'ho avvicinato nella speranza che mi desse finalmente una risposta...».

«E gliel'ha data?».

«In maniera brutale. Si è girato, nel bel mezzo della sala, e mi ha detto ad alta voce, in modo che anche altri lo sentissero:

«"Sappi che di Meg me ne sbatto altamente, e ancora più dei tuoi intrallazzi con mia moglie. Quindi piantala di chiedermi soldi"».

Il suo viso, piuttosto pallido quando era entrato, aveva ripreso colore, e le lunghe dita ben curate gli tremavano un po'.

«Come vede, le parlo con estrema franchezza. Avrei potuto tacere, aspettare gli eventi».

«Cioè aspettare che trovassi le lettere?».

«Non si può sapere in che mani finiranno».

«L'ha più rivisto da allora?».

«Due volte. Meg e io siamo ancora stati invitati in place des Vosges».

«E lei ci è andato» mormorò Maigret con simulata ammirazione. «Evidentemente, è di quelli che perdonano le offese».

«Che altro potevo fare? Era un animale, ma anche una forza della natura. Deve averne umiliati parecchi, persino fra i nostri amici. L'importante per lui era sentirsi potente, non essere amato».

«Pensava che le avrei restituito le lettere?».

«Preferirei saperle distrutte».

«Quelle di sua moglie e le sue, vero?».

«Ho il sospetto che le lettere di Meg siano un po' troppo focose, se non erotiche, e le mie, lo ripeto, potrebbero essere male interpretate».

«Vedrò quello che posso fare per lei».

«Le ha trovate?».

Anziché rispondere Maigret si diresse verso la porta, come per indicare che il colloquio era finito.

«A proposito, lei possiede un'automatica calibro 6,35?».

«Ho un'automatica in negozio. È da anni in un cassetto, non so neanche di che calibro sia. Non mi piacciono le armi».

«La ringrazio. Ancora una cosa. Sapeva che ogni mercoledì, più o meno alla stessa ora, il suo amico Chabut andava in rue Fortuny?».

«Sì. Qualche volta Jeanne e io ne abbiamo anche approfittato».

«Per oggi è tutto. Se avrò bisogno di lei, la farò convocare».

Caucasson uscì rasentando lo stipite della porta, e Maigret lo seguì con gli occhi fino allo scalone. Rientrato in ufficio, chiese di essere messo in comunicazione con place des Vosges. Ci volle un po' di tempo, perché la linea era sempre occupata.

«Signora Chabut? Sono il commissario Maigret. Mi scusi se la disturbo di nuovo, ma ho appena ricevuto una visita che mi costringe a rivolgerle qualche domanda».

«Sì, ma la prego di fare in fretta, perché sono davvero molto occupata. Sa, domani avranno luogo i funerali, in forma strettamente privata».

«Ci sarà una cerimonia religiosa?».

«Solo la benedizione della salma. Sto informando pochi intimi e due o tre collaboratori di mio marito».

«Louceck?».

«Non posso fare altrimenti».

«Leprêtre?».

«Certamente. E anche la sua segretaria personale, quella ragazza magra che lui chiamava la Cavalletta. Tre automobili ci porteranno direttamente al cimitero di Ivry».

«Lei sa dove suo marito teneva la corrispondenza privata?».

Ci fu un silenzio prolungato.

«Non saprei, è un problema che non mi sono mai posta. Riceveva pochissima corrispondenza qui a casa, perché per lo più gli scrivevano in quai de Charenton. A che genere di lettere stava pensando?».

«Lettere di amici, di amiche».

«Se le ha conservate, devono essere nella sua cassaforte personale».

«Dove si trova questa cassaforte?».

«In salotto, dietro il suo ritratto».

«Ha la chiave?».

«La polizia mi ha restituito ieri gli abiti che portava mercoledì, e in una tasca c'era il suo mazzo di chiavi. Ho notato una chiave da cassaforte, ma poi non ci ho più pensato».

«Oggi non voglio rubarle altro tempo, ma dopo i funerali...».

«Può chiamarmi domani pomeriggio».

«Intanto, le chiedo formalmente di non distruggere nulla, neppure il più piccolo frammento di carta».

Chissà se avrebbe ceduto alla curiosità e sarebbe corsa ad aprire la cassaforte per vedere le lettere...

Maigret telefonò poi alla Cavalletta.

«Come vanno le cose da voi?».

«Perché me lo chiede? Dovrebbero andare male?».

«Ho appena saputo che è stata invitata ai funerali».

«Sì, per telefono. Non me l'aspettavo. Credevo di esserle antipatica...».

«Mi dica, c'è una cassaforte nello stabile di quai de Charenton?».

«Sì, al pianterreno, nell'ufficio del contabile».

«Chi ha la chiave?».

«Il contabile, ovviamente, e immagino anche Oscar».

«Le risulta che in quella cassaforte tenesse documenti personali, lettere ad esempio?».

«Non credo. Quando riceveva lettere personali, o le strappava in minuscoli pezzetti, o se le ficcava in tasca».

«Le spiacerebbe chiederlo comunque al contabile e riferirmi la risposta? Resto in linea».

Ne approfittò per riaccendere la pipa che si era spenta. Si udirono dei passi e una porta che veniva aperta e richiusa, poi, dopo qualche minuto, di nuovo la porta e i passi.

«È ancora lì?».

«Sì».

«Non mi ero sbagliata. La cassaforte contiene solo documenti relativi all'azienda e del denaro liquido. Il contabile non sa neppure se il principale avesse la chiave. Sembra invece che ne tenga una il signor Leprêtre».

«La ringrazio».

«Verrà anche lei al funerale?».

«Non credo. Del resto non sono stato invitato».

«In chiesa possono entrare tutti».

Riagganciò. Si sentiva ancora la testa pesante, ma era di umore meno tetro rispetto al mattino. Quando entrò nell'ufficio degli ispettori, Lapointe era intento a battere a macchina il suo rapporto. Usava solo due dita, ma era veloce quanto una provetta dattilografa.

«Ho appena ricevuto una visita» mormorò Maigret. «È venuto l'editore di libri d'arte».

«Cosa voleva?».

«Recuperare delle lettere. È stato imperdonabile da parte mia non aver pensato alle lettere che Oscar Chabut riceveva. Sono sicuro che ce ne sono di assai interessanti. Ad esempio quelle in cui Caucasson batte cassa...».

«Perché il produttore di vino andava a letto con sua moglie?».

«Caucasson li ha sorpresi in flagrante. D'altra parte lui aveva rapporti intimi con Jeanne Chabut... E non dev'essere l'unico caso. Ho l'impressione che quando avremo in mano la corrispondenza ne scopriremo altri...».

«Dove sono queste lettere?».

«Con ogni probabilità in una cassaforte che sta dietro il ritratto del nostro uomo, nel salone».

«La moglie le ha lette?».

«Pare che non abbia pensato alla cassaforte. Ha trovato la chiave in una tasca degli abiti che Chabut indossava mercoledì».

«Ne avete parlato?».

«Sì. E sono sicuro che stasera stessa le leggerà. I funerali sono domani. Dopo la benedizione della salma nella chiesa di Saint-Paul, tre sole auto condurranno gli intimi al cimitero di Ivry».

«Lei ci va?».

«No».

A che sarebbe servito? L'assassino del produttore di vino non era certo il tipo che si fa notare durante un funerale.

«Però mi sembra che lei stia meglio, capo, non si soffia più il naso come prima».

«Aspetta a dirlo. Vedremo domattina».

Erano le cinque e mezzo.

«È inutile che aspetti le sei. Starò meglio a casa mia».

«Buonasera, capo».

«Buonasera, ragazzi».

Maigret lasciò l'ufficio degli ispettori con la pipa fra i denti, la schiena curva e le gambe un po' molli.

Dormì di un sonno pesante, e se anche sognò la mattina ne aveva perso il ricordo. Il vento doveva essere cambiato durante la notte, perché il tempo era del tutto diverso, molto meno freddo, con una pioggia incessante e monotona che rigava i vetri.

«Perché non ti misuri la febbre?».

«Non occorre. Sicuramente non ce l'ho».

Si sentiva meglio. Bevve con gusto le sue due tazze di caffè e la signora Maigret, ancora una volta, telefonò per avere un taxi.

«Non dimenticare l'ombrello».

In ufficio, lanciò d'istinto un'occhiata alla pila di lettere che lo aspettavano. Era una vecchia abitudine. Guardando le buste, infatti, riconosceva subito la calligrafia di un amico o di qualcuno di cui aspettava un messaggio.

Su una delle buste l'indirizzo era scritto in stampatello. In alto, a sinistra, la parola *Personale* era sottolineata tre volte.

PER IL COMMISSARIO MAIGRET
CAPO DELLA SQUADRA ANTICRIMINE
38, QUAI DES ORFÈVRES

Aprì quella lettera per prima. Conteneva due fogli di carta ai quali era stata tolta l'intestazione, probabilmente il nome di una brasserie o di un bar. I caratteri e le spaziature erano regolari, il che faceva pensare che l'autore fosse un uomo meticoloso, attento ai dettagli.

«Spero che questa lettera non si perda nei vostri uffici e che lei la leggerà di persona.

«Sono stato io a telefonarle due volte, ma ho riattaccato in fretta per paura che rintracciaste il numero da cui chiamavo. Pare che con la teleselezione sia impossibile, ma preferisco non fidarmi.

«Mi stupisce che i giornali non rivelino quale fosse la vera personalità di Oscar Chabut. Possibile che nessuno, fra quelli che hanno contattato, abbia detto loro la verità?

«Invece si parla di lui come di un uomo di grande valore, audace e caparbio, che con le sue sole forze ha creato una delle più importanti aziende vinicole.

«È davvero sconfortante! Quell'uomo era un farabutto, gliel'ho detto e lo ripeto, pronto a sacrificare chiunque alla sua ambizione e alla sua mania di grandezza. Tanto che mi chiedo se in fondo non fosse pazzo.

«È difficile credere che un uomo sano di mente possa comportarsi come faceva lui. Nei rapporti con le donne, prevaleva il bisogno di infangarle. Voleva possederle tutte, ma per svilirle e sentirsi superiore. Del resto si vantava delle sue conquiste senza preoccuparsi della loro reputazione.

«E i mariti? Possibile che non ne sapessero niente? Non credo. Schiacciava anche loro con il suo disprezzo e, di fatto, li costringeva a tacere.

«Doveva sminuire tutti quelli che lo circondavano per sentirsi grande e potente. Riesce a seguirmi?

«Mi capita di parlare al presente come se fosse ancora vivo, mentre ha avuto finalmente quello che si meritava. Nessuno lo piangerà, neanche i parenti, neanche suo padre, che da tempo non voleva più vederlo.

«Tutto questo i giornali non lo scrivono, e se un giorno lei arresterà chi gli ha sparato e messo fine ai suoi sporchi intrighi sarà certo su quell'uomo che tutti si accaniranno.

«Volevo mettermi in contatto con lei. L'ho vista entrare nella casa di place des Vosges insieme a un altro uomo che deve essere uno dei suoi ispettori. L'ho anche intravista in quai de Charenton, dove le cose non sono così semplici come si vorrebbe far credere. Chabut ha in qualche modo corrotto tutto ciò che lo circondava.

«Cerca l'assassino? È il suo lavoro e non gliene voglio. Ma se ci fosse una giustizia, dovremmo congratularci con lui.

«Lo ripeto: era uno sporco farabutto, un depravato.

«La prego di accettare, signor commissario, i miei migliori saluti e di scusarmi se non firmo».

C'era tuttavia, in fondo alla lettera, una sigla confusa.

Maigret la rilesse attentamente, frase per frase. Durante la sua carriera aveva ricevuto centinaia di lettere anonime e sapeva riconoscere quelle che presentavano un vero interesse.

Benché enfatica e probabilmente eccessiva, questa non conteneva solo accuse infondate, e il ritratto che tracciava del produttore di vino non era lontano dal vero.

L'aveva scritta l'assassino? Era una delle numerose vittime di Oscar Chabut? Un uomo cui al solito aveva rubato la moglie per poi respingerla, o che aveva dovuto subire il suo cinismo nel campo degli affari?

Senza volerlo, Maigret rivedeva l'ometto dalla gamba matta che lo aveva aspettato di fronte all'entrata della Polizia giudiziaria e si era poi diretto verso place Dauphine. Aveva una brutta cera. Sembrava avesse dormito con gli abiti addosso, anche se non era un barbone. A Parigi ci sono migliaia di persone che non rientrano in nessuna categoria. Alcuni cadono sempre più in basso e finiscono sotto i ponti, a meno che non si ammazzino prima.

Altri tengono duro, stringono i denti, e a volte riescono a risalire la china, soprattutto se qualcuno tende loro una mano caritatevole.

Sotto sotto Maigret avrebbe voluto aiutare quel poveruomo. Non doveva essere pazzo, nonostante l'odio che nutriva per Chabut e che era diventato la sua ragione di vita.

Era stato lui a uccidere il produttore di vino? Possibile. Non era difficile immaginarlo mentre aspettava nel buio, con le mani contratte sulla gelida impugnatura di una pistola.

Gli sparava come aveva progettato, una, due, tre, quattro volte, poi si dirigeva zoppicando verso l'ingresso del métro.

Dove abitava? Dove era andato dopo? Si era limitato a raggiungere i Grands Boulevards o un altro quartiere pieno di luci e a entrare in un bistrot per scaldarsi e festeggiare in solitudine il successo della sua missione?

L'assassinio di Chabut non era frutto di un gesto impulsivo. Chi lo aveva commesso lo aveva a lungo meditato, esitando, alimentando il proprio rancore per decidersi ad agire.

E ora il nemico era morto. In fondo era come se, d'improvviso, l'assassino avesse perso ogni ragione di vita. La vittima veniva descritta come un uomo brillante, uno straordinario uomo d'affari. Nessuno parlava di chi l'aveva ucciso, né delle ragioni che l'avevano indotto a farlo.

Allora aveva telefonato e poi scritto a Maigret.

Avrebbe scritto ancora, anche se questo poteva significare scoprirsi senza volerlo e farsi così beccare.

Allo squillo del campanello Maigret si diresse verso l'ufficio del gran capo per il rapporto.

«Niente di nuovo sulla faccenda di rue Fortuny?».

«Niente di preciso. Ma comincio a nutrire qualche speranza».

«Crede che scoppierà uno scandalo?».

Maigret aggrottò le sopracciglia. Non aveva parlato al suo superiore della personalità di Chabut, e neppure i giornali vi avevano fatto cenno. Come poteva allora parlare di scandalo?

Chissà, forse il direttore della Polizia giudiziaria conosceva il produttore di vino... O forse frequentava ambienti in cui era ben noto. In questo caso non poteva ignorare che erano in parecchi ad avere fondati motivi per odiare Chabut, sino al punto da volerlo uccidere.

«Non ho ancora nessun nome in testa» disse evasivo.

«Ad ogni modo ha fatto molto bene a non parlare troppo con i giornalisti».

Dopodiché Maigret finì di scorrere la corrispondenza e fece venire una dattilografa per dettarle qualche risposta. Si sentiva ancora indolenzito e piuttosto debole, ma almeno non era costretto a stare sempre con un fazzoletto in mano.

Lapointe entrò poco prima di mezzogiorno.

«Spero che non si arrabbi con me. Potrei quasi dire che ci sono andato a titolo personale. Ero curioso di vedere quel funerale. Ci saranno state in tutto venti persone, e solo il signor Louceck in rappresentanza dei dipendenti».

«Hai riconosciuto qualcun altro?».

«Uscendo dalla chiesa, mi è sembrato che sul marciapiede di fronte un uomo mi stesse osservando. Ho tentato di raggiungerlo, ma il tempo di sgusciare fra una macchina e l'altra ed era già scomparso».

«Tieni! Leggi questa».

Gli tese la lettera anonima, che fece sorridere l'ispettore più di una volta.

«Potrebbe essere sua, no?».

«Nota bene che mi ha visto in place des Vosges, in quai de Charenton e forse quando sono entrato qui. Forse era convinto che sarei andato al funerale».

«Deve averci visti insieme e mi ha riconosciuto».

«Vorrei che nel pomeriggio ci fosse uno dei nostri in place des Vosges. Non faccia caso a me. Probabilmente farò visita alla signora Chabut. Quello che deve controllare è se c'è qualcuno che si aggira nei pressi della casa. A quanto pare, riesce a dissolversi nel nulla con grande abilità».

«Vuole che ci vada io?».

«D'accordo. Tanto più che sai già che aspetto ha».

Rientrò a casa per il pranzo, mangiò con appetito e si concesse solo un quarto d'ora di siesta nella sua poltrona. Tornato in ufficio, chiamò place des Vosges e chiese della signora Chabut. Lo fecero aspettare per un bel po'.

«Mi scusi se la disturbo subito dopo il funerale, ma le confesso che sono impaziente di dare un'occhiata alla corrispondenza. Potrebbe fornirci indicazioni preziose».

«Vuole venire nel pomeriggio?».

«Sì, se non le spiace».

«Verso le cinque ho un appuntamento che non posso rimandare. Se potesse venire subito...».

«Sarò da lei tra qualche minuto».

Lapointe era già appostato nelle vicinanze dell'edificio. Maigret si fece accompagnare da Torrence e lo rispedì subito al Quai. Dal portone erano già stati tolti i paramenti neri con le lacrime d'argento, e nell'appartamento non c'era più traccia della camera ardente. Nell'aria aleggiava solo un profumo di crisantemi.

La donna indossava lo stesso abito nero del giorno precedente, ma una spilla di pietre dure lo rendeva meno austero. Era lucida, totalmente padrona di sé.

«Se vuole, possiamo andare nel mio boudoir. La sala è davvero troppo vasta per due persone».

«Ha aperto la cassaforte?».

«Non posso nasconderlo».

«Come ha scoperto la combinazione? Immagino che non la conoscesse».

«No, infatti. Ho subito pensato che mio marito la portasse sempre con sé. Ho cercato nel portafoglio. Dentro la patente c'era una serie numerica e l'ho provata sulla cassaforte».

Sul mobile Luigi XV aveva preparato un pacchetto piuttosto voluminoso, legato malamente.

«Le premetto che non ho letto tutto. Temo che l'intera notte non mi sarebbe bastata. È incredibile quante carte conservasse. Ho ritrovato anche delle vecchie lettere d'amore che gli avevo spedito quando ancora non eravamo sposati».

«Penso sia meglio cominciare dalla corrispondenza più recente, che potrebbe chiarire perché è stato assassinato».

«Si accomodi».

Maigret si stupì nel vederla inforcare gli occhiali, che sembravano mutare radicalmente la sua personalità. Adesso capiva la sua determinazione a prendere in mano l'azienda. Era una donna capace di un grande autocontrollo, che doveva avere una volontà indomabile e non rinunciava facilmente allo scopo che si era prefissata.

«Molti biglietti... Guardi!... Eccone uno firmato Rita... Non so di quale Rita si tratti...

«"Sarò libera domani alle tre. Al solito posto? Baci. Rita".

«Come vede non è un tipo sentimentale, e la sua carta da lettere è di cattivo gusto, e oltretutto profumata».

«C'è la data?».

«No, ma il biglietto era fra le lettere degli ultimi mesi».

«Non ha trovato niente di Jean-Luc Caucasson?».

«Allora sa tutto... È venuto da lei?».

«È in ansia per le sue lettere».

Continuava a piovere, e l'acqua formava rivoli che serpeggiavano sui vetri delle alte finestre. L'appartamento era calmo, silenzioso. Erano entrambi di fronte a centinaia di lettere e biglietti che in sostanza riassumevano l'intera vita di un uomo.

«Eccone una. Vuole leggerla lei?».

«Preferirei di sì».

«Guardi che può fumare la pipa. Non mi disturba affatto».

«Mio caro Oscar,

«ho a lungo esitato prima di scriverti questa lettera, ma il pensiero della nostra antica amicizia ha dissolto ogni scrupolo. Tu sei un brillante uomo d'affari, mentre io non ho grande dimestichezza con i numeri, il che spiega come mai mi infastidisca tanto parlare di denaro.

«Il mestiere di editore d'arte non è un mestiere come un altro. Sei sempre a caccia del libro destinato ad avere un grande successo. A volte devi aspettarlo a lungo, e quando ti capita fra lei mani ti accorgi di non poterlo pubblicare.

«È quello che mi sta succedendo adesso. In un

periodo in cui gli affari sono stagnanti e io non pubblico nulla da più di un anno, ho ricevuto un'opera straordinaria su certi aspetti dell'arte orientale. So che è un grande libro e che avrà il successo che merita. Non solo: sono quasi certo di poterne vendere i diritti negli Stati Uniti e in altri Paesi, e una piccola parte del ricavato basterebbe a coprire le spese.

«Ma per pubblicarlo mi servono subito all'incirca duecentomila franchi, e io non ho neanche un centesimo. Quanto a Meg, il gruzzolo che ha da parte non supera i diecimila franchi.

«Puoi prestarmi questa somma? So che per te è una miseria. È la prima volta che sono costretto a chiedere un prestito, e la cosa mi provoca un grande imbarazzo.

«Ne ho parlato con Meg prima di decidermi, e lei mi ha detto che tu ci sei troppo amico per rifiutarci questo favore.

«Telefonami o scrivimi due righe per fissare un appuntamento a casa tua o in uno dei tuoi uffici. Firmerò tutte le cambiali che vorrai».

«Disgustoso, non le pare?».

Maigret si accese la pipa, mentre lei aveva appena acceso una sigaretta.

«Avrà notato il riferimento a Meg. La seconda lettera è più breve».

Entrambe le lettere erano scritte a mano, con una minuta grafia nitida e nervosa.

«Caro amico,

«mi stupisce che tu non abbia ancora risposto alla mia lettera. Mi ci è voluto molto coraggio per riuscire a scriverti. E parlarti con tanta franchezza è stata anche una prova di fiducia nei tuoi confronti.

«Da allora la situazione è andata peggiorando.

Nei prossimi giorni dovrò far fronte a grosse scadenze, che potrebbero costringermi a chiudere bottega.

«Meg, che sa tutto, ci soffre e ha insistito perché ti scrivessi.

«Spero che mi dimostrerai che l'amicizia non è solo una parola vana.

«Conto su di te, come tu puoi contare su di me.

«Con i saluti più sinceri».

«Non so se percepisce anche lei, dietro queste parole, una sorta di velata minaccia».

«Sì. È abbastanza evidente» brontolò Maigret.

«Legga adesso le lettere di Meg».

Il commissario ne prese una a caso.

«Tesoro mio,

«mi sembra sia passata un'eternità da quando ci siamo visti, eppure era solo lunedì della settimana scorsa. Come ero felice fra le tue braccia, come mi sentivo sicura appoggiata al tuo petto!

«Ti ho spedito un biglietto l'altro ieri per darti appuntamento. Sono andata al solito posto, ma tu non sei venuto, e Madame Blanche mi ha detto che non avevi telefonato.

«Sono in ansia. So che sei molto occupato, che hai cose importanti da fare, e so anche che non sono la sola. Non sono gelosa, ma tu non devi trascurarmi troppo, perché ho bisogno che tu mi stringa sino a farmi male, così come ho bisogno di sentire il tuo odore.

«Dammi presto tue notizie. Non occorre che tu mi scriva una lunga lettera, bastano il giorno e l'ora dell'appuntamento.

«Jean-Luc è molto preoccupato in questi ultimi tempi. Ha in testa un libro che, secondo lui, sarà il più grosso affare della sua vita. Non immagini quanto mi sembri debole e scialbo in confronto a un uomo come te!

«Ti bacio dappertutto.

La tua Meg».

«Ce ne sono parecchie dello stesso tenore, alcune di un erotismo piuttosto spinto».

«Di quando è l'ultima?».

«Di prima delle vacanze».

«Dove le avete passate?».

«Nel nostro appartamento a Cannes. Oscar ha dovuto fare due o tre scappate a Parigi in aereo. Laggiù c'erano dei nostri amici di Parigi, ma non i Caucasson. Mi sembra di ricordare che hanno una casetta da qualche parte in Bretagna, in un paesino frequentato soprattutto da pittori».

«Non ha trovato altre lettere con richieste di denaro?».

«Non sono riuscita a leggere tutto. C'è un biglietto di Estelle Japy, una vedova piuttosto disinvolta che lui ha frequentato per un certo periodo».

«Caro amico,

«le invio questa fattura che avrei difficoltà a saldare. Spero di rivederla presto.

Sua, Estelle».

«La fattura era acclusa alla lettera?».

«Non l'ho trovata, quindi non so dirle a quanto ammontasse né di che si trattasse. Magari un gioiello... O una pelliccia... Quella donna stamattina era in chiesa, ma non è venuta sino al cimitero».

«Se lei mi permettesse di portarmi a casa queste lettere, domenica potrei leggerle con calma...».

«Mi spiace dirle di no, ma non me la sento di separarmi, anche temporaneamente, da questi documenti.

«Venga pure quando vuole, anche domani se lo desidera, e avrà tutto il tempo per leggerle. C'è una lettera di Robert Trouard, l'architetto, che cercava di coinvolgere mio marito nella costruzione di stabili di lusso».

«Gli è capitato di accettare proposte di questo genere?».

«Mai, che io sappia».

«La moglie di Trouard?».

«Ovviamente. Come le altre. Ma non credo che lui lo sappia.

«Legga, questa è la più stravagante. Sei pagine di un erotismo sfrenato. Non solo questa Wanda, che non conosco, sente il bisogno di descrivere per filo e per segno tutto quello che hanno fatto il giorno prima, ma specifica anche con una fantasia davvero sbrigliata quello che faranno durante il prossimo incontro. Pare che sia una russa, o una polacca. Oscar deve aver fatto una bella fatica a liberarsene.

«E quest'altra. È di Marie-France, la moglie di Henry Legendre...».

Gli porse un foglio azzurrino. L'inchiostro era di un blu più scuro.

«Mio odioso tesoro,

«dovrei odiarti, ed è quello che succederà se in settimana non vieni a chiedermi scusa. Ne ho sapute di tutti i colori su di te, ma non posso dirti chi è stata, perché è un'altra delle tue conquiste. D'altra parte dubito che tu possa ricordartele tutte.

«Insomma, qualche giorno fa, mentre eri a un ricevimento, qualcuno si è messo a parlare di me. E sono certa che tu hai detto a voce alta, davanti ad almeno cinque persone:

«"Peccato che le caschi il seno".

«Che tu fossi un bifolco già lo sapevo, e ora ne ho

la prova. Ma non vederti più è al di sopra delle mie forze.

«La mano passa a te».

«Apprezzerebbe ancor più l'episodio se conoscesse i protagonisti, se potesse vedere, per esempio, la bella signora Legendre mentre fa il suo ingresso in un salotto in compagnia del marito, con il petto scintillante di diamanti.

«Ora devo salutarla, perché Gérard arriverà da un momento all'altro. È Gérard Aubin, il banchiere. Devo chiedergli qualche consiglio. Mi fido ciecamente di lui.

«Se vuole, può tornare domani pomeriggio...».

«Non credo».

«Preferisce passare la domenica in famiglia, lo capisco...».

Non poteva certo sapere che i Maigret si sarebbero accontentati anche stavolta di passare il pomeriggio in un cinema del quartiere, per poi rientrare a casa tenendosi sottobraccio.

Nella piazza, Maigret vide Lapointe.

«Aveva ragione, capo. Ma me l'ha fatta. Quell'uomo scivola via come un'anguilla. Io lo cercavo in prossimità della casa, e non osavo avvicinarmi troppo. Dopo una mezz'ora circa, ho dato un'occhiata alla parte di place des Vosges chiusa dalla cancellata. Pioveva, sicché c'era poca gente. Sul lato opposto, seduto su una panchina, ho notato un uomo che mi è sembrato di riconoscere. Portava un cappello marrone sciupato, un impermeabile e un completo scuro.

«Sono entrato nel giardino dirigendomi verso di lui, ma non avevo ancora fatto dieci passi che si è alzato dalla panchina ed è sparito in rue de Birague.

«Mi sono messo a correre, con grande sorpresa di due vecchie signore che discutevano sotto lo stesso

ombrello. Quando sono arrivato in rue Saint-Antoine, del nostro uomo non c'era più traccia. Sembra
quasi che sia lui a seguirla, come se volesse essere sicuro che lei prosegue l'inchiesta».

«Probabilmente sa più cose di me. Se solo potesse
parlare! Hai la macchina?».

«Sono venuto in autobus».

«Allora prendiamo l'autobus».

E Maigret sprofondò le mani nelle tasche.

5

Non andarono al cinema, come Maigret aveva progettato il giorno precedente. La pioggia scendeva ancora più fitta ticchettando sull'asfalto, e in boulevard Richard-Lenoir non c'era praticamente anima viva. Solo all'ora della messa comparvero delle sagome scure che camminavano rasente ai muri sotto l'ombrello, e alle dieci del mattino cominciò a soffiare un vento di bufera.

Sempre alle dieci, cosa piuttosto inconsueta, il commissario si decise finalmente a prepararsi. Sino a quel momento era rimasto in pigiama e vestaglia, senza fare nulla di preciso.

Aveva di nuovo la febbre: non molta, trentasette e sei, ma bastava a farlo sentire fiacco e svogliato. La signora Maigret ne approfittava per riservargli mille attenzioni, e ogni volta lui fingeva di brontolare.

«Cosa prepari per pranzo?».

«Un arrosto di vitello col purè».

Come quando era bambino. L'arrosto della domenica. A quell'epoca gli piaceva molto cotto. E nel corso della giornata gli tornarono a sprazzi parecchi ricordi d'infanzia.

Rimasero chiusi in casa a guardare la pioggia che scendeva. Verso mezzogiorno Maigret mormorò impacciato:

«Penso che mi concederò un bicchierino di prunella».

Poiché lei non si opponeva, andò ad aprire la credenza. Poteva scegliere fra la prunella e l'acquavite di lamponi. Arrivavano entrambe dall'Alsazia, dove viveva la cognata. L'acquavite di lamponi era più profumata: bastava un piccolo sorso e l'aroma ti restava in bocca per mezz'ora.

«Ne vuoi un goccio?».

«No. Lo sai che mi fa venire sonno».

Aleggiavano nell'aria dei buoni odori che il raffreddore alterava appena, e lui si mise a scorrere le riviste che non aveva avuto tempo di leggere durante la settimana.

«È incredibile come in certi ambienti non ci siano più regole...».

Lei non gli chiese a cosa si riferisse. Nonostante tutto e contro la sua volontà, era totalmente assorbito dal caso Chabut, e ogni tanto gli usciva una mezza frase che aveva a che fare con quello.

«Quando almeno cento persone avrebbero voglia di uccidere un uomo...».

Chi era l'ometto claudicante che riusciva così abilmente a eclissarsi tra la folla? E come faceva a trovarsi quasi sempre, in anticipo oltretutto, negli stessi posti in cui andava Maigret?

Schiacciò un pisolino nella sua poltrona. Quando riaprì gli occhi, sua moglie era intenta a cucire: d'altro canto non riusciva proprio a starsene con le mani in mano.

«Ho dormito più di quanto pensassi».

«Non può farti che bene».

«Se almeno quest'influenza si decidesse a scoppiare...».

Andò ad accendere il televisore. Davano un western, e lo guardò piuttosto volentieri. C'era un cattivo, ovviamente, e non era impossibile trovare qualche analogia fra lui e Chabut. Anche quel malvagio voleva provare agli altri e a se stesso che era un duro, e per questo umiliava le persone.

Terminato il film, ripensò al colloquio del giorno prima nel boudoir di place des Vosges e mormorò:

«Strana donna».

«Chi si occuperà dell'azienda?».

«Lei».

«Ha già esperienza?».

«Per niente. Ma si metterà d'impegno e sono sicuro che se la caverà. Sono persino pronto a scommettere che in meno di un anno metterà alla porta il signor Louceck».

Stava leggendo un articolo sui fondali marini quando all'improvviso gli balenò un pensiero. Che cosa aveva detto di preciso la Cavalletta riguardo al contabile? Che era un nuovo arrivato. Che era stato assunto da pochi mesi. Il suo predecessore se ne era andato spontaneamente o era stato licenziato?

Avrebbe voluto sapere subito la risposta. Quell'idea lo metteva in agitazione, e cercando sull'elenco telefonico rintracciò il numero della ragazza.

L'apparecchio suonò a lungo, ma nessuno rispose. La Cavalletta e sua madre dovevano essere andate al cinema, oppure da una parente. Chiamò ancora, invano, verso le sette e mezzo.

«Credi che sappia qualcosa?».

«Avrà pensato che non era importante e non me ne ha parlato. D'altra parte è anche possibile che sia una falsa pista. Ne seguo così tante in questo momento...».

Una domenica piacevole, nonostante tutto. Cenarono con carne fredda e formaggio. Alle dieci, erano tutti e due a letto.

Anziché andare al Quai, la mattina dopo Maigret telefonò a Lapointe e gli chiese di venirlo a prendere in macchina.

«Si è riposato, capo?».

«Praticamente ho passato tutto il giorno in poltrona. Mi sento persino anchilosato. Andiamo in quai de Charenton, ragazzo mio!».

I dipendenti erano al loro posto, ma non si percepiva alcuna agitazione, come se nessuno lavorasse, tranne che in fondo al cortile, dove alcuni uomini, con un sacco in testa per proteggersi dalla pioggia, facevano rotolare dei barili.

«Intanto che mi aspetti, vai a chiacchierare un po' con il contabile».

Salì le scale, bussò alla porta e ritrovò il sorriso schietto e come divertito della Cavalletta.

«Al funerale non c'era, vero?».

«I dipendenti sono stati pregati di non andarci».

«Da chi?».

«Dal signor Louceck. Ci ha mandato una nota di servizio».

«Ieri ho pensato a un particolare che mi era sfuggito. Quando lei mi ha parlato del contabile, mi pare abbia detto che era uno nuovo».

«È qui dal primo luglio. È strano che lei me ne parli proprio oggi».

«Perché?».

«Perché ieri ci ho pensato anch'io mentre ero al cinema, e mi ripromettevo di parlargliene quando fosse tornato. Si tratta del contabile di prima, Gilbert Pigou. Ha lasciato la ditta in giugno, a fine giugno se non sbaglio, ed è per questo che non mi è sembrato importante parlare di lui».

Maigret si era seduto sulla poltrona girevole di Oscar Chabut, e la Cavalletta, con indosso una minigonna che lasciava scoperta una metà delle cosce, teneva le lunghe gambe accavallate.

«Se n'è andato di sua iniziativa?».

«No».

«Che tipo era?».

«Non aveva una grande personalità e passava inosservato. Lei ha visto, qui sotto, l'ufficio dell'amministrazione, quello che dà sul cortile. Noi diciamo l'amministrazione, ma in realtà la vera amministrazione è in avenue de l'Opéra. A lui passavano per le mani solo quisquilie».

«Era sposato?».

«Sì. Almeno credo. Anzi, ne sono sicura. Mi ricordo che un giorno ha telefonato che non poteva venire perché dovevano operare sua moglie d'urgenza. Un'appendicite acuta, se non sbaglio.

«Non parlava volentieri. Sembrava che avesse paura della gente e che cercasse di non attirare mai l'attenzione».

«Era un bravo impiegato?».

«Le sue mansioni non richiedevano spirito di iniziativa. Era solo routine».

«Le ha fatto la corte? A lei o a una delle dattilografe?».

«Era troppo timido. È stato assunto più di quindici anni fa, quando gli affari hanno cominciato a prosperare. Era un poveraccio».

«Perché dice questo?».

«Perché penso al suo ultimo colloquio con il principale. Avrei dato qualsiasi cosa pur di non assistere a quella scena, la più penosa che abbia mai visto. Rivedo ancora adesso Oscar che, appena arrivato da avenue de l'Opéra, alle dieci del mattino, mi chiede sfregandosi le mani: "Dica a Pigou di salire". Sembrava quasi che pregustasse quello che stava per accadere, e io ero già preoccupata.

«"Si accomodi, signor Pigou. Un po' più a sinistra, si metta in piena luce. Odio parlare con persone che non vedo nitidamente. Come sta?".

«"Bene, grazie".

«"Anche sua moglie?".

«"Sì".

«"Lavora sempre in rue Saint-Honoré, in una camiceria, se non mi sbaglio?"».

La Cavalletta interruppe il suo racconto per precisare:

«Aveva una memoria fenomenale per le persone e per i particolari più insignificanti. Non aveva mai visto la signora Pigou, ma ricordava che era stata commessa in una camiceria di rue Saint-Honoré.

«"Mia moglie non lavora più".

«"Peccato".

«Il contabile lo guardava interdetto. E Chabut disse con estrema calma:

«"Lei è licenziato, signor Pigou. Questa è la sua ultima mattina in azienda. Dato che non le darò certo una lettera di referenze, rischia di non trovare lavoro per un bel pezzo".

«Giocava con lui come il gatto col topo, e io ne ero addolorata.

«Pigou, seduto sull'orlo della sedia, non sapeva più dove stare né dove mettere le mani. La sua angoscia era così evidente che mi aspettavo di vederlo scoppiare in lacrime.

«"Vede, signor Pigou, se uno vuole diventare un malfattore, tanto vale che lo faccia in grande stile e con una certa classe".

«Il contabile, continuando ad agitarsi, alzò una mano e aprì la bocca per dire qualcosa.

«"Tenga! Prenda questo foglio. Ne ho una copia. È l'elenco delle somme che lei mi ha rubato negli ultimi tre anni".

«"Sono quindici anni che...".

«"Che lei è alle mie dipendenze, esatto. E mi chiedo come mai lei abbia cominciato i suoi maneggi solo tre anni fa".

«Le lacrime scivolavano sulle guance di Pigou, che era pallidissimo. Accennò ad alzarsi, ma Chabut gli ordinò:

«"Resti seduto. Detesto parlare con gente che sta in piedi. In tre anni, come risulta da questo elenco, lei mi ha rubato tremilaottocentoquarantacinque franchi, prelevando sempre piccole somme. All'inizio, cinquanta franchi alla volta, quasi ogni mese. Poi settantacinque. Poi, una volta, una somma più importante: cinquecento franchi".

«"È stato a Natale".

«"E con questo?".

«"Doveva essere la mia gratifica".

«"Non capisco".

«"Mia moglie non lavorava già più. Ha problemi di salute".

«"Sta sostenendo che mi ha derubato per via di sua moglie?".

«"È la verità. Non faceva che rimproverarmi. Continuava a dirmi che non mi sapevo far valere, che i miei padroni mi sfruttavano e avrebbero dovuto pagarmi di più".

«"Ma davvero!".

«"Insisteva perché chiedessi un aumento".

«"E lei non ha avuto il coraggio di farlo".

«"Non sarebbe servito a niente, vero?".

«"Proprio così. Di impiegati come lei ne trovo a

bizzeffe, dei morti di fame senza particolari compe-
tenze e senza iniziativa".

«Pigou era immobile, con gli occhi fissi sulla scrivania davanti a lui.

«"Ho detto a Liliane che avevo chiesto l'aumento
e che me l'avevano dato di cinquanta franchi".

«"'Il tuo padrone non si è sprecato, ma è già qualcosa'"».

La Cavalletta si interruppe di nuovo.

«La scena diventava sempre più penosa, e più il
contabile si mostrava indifeso, più Chabut, glielo si
leggeva negli occhi, esultava.

«"Un anno fa siamo passati a cento franchi. E a
Natale le avrei dato una gratifica di cinquecento
franchi. Quindi agli occhi di sua moglie lei era diventato un impiegato insostituibile, immagino...".

«"La prego, mi perdoni...".

«"Troppo tardi, signor Pigou. Per me lei non esiste già più. Non escludo che un giorno il signor Louceck decida di derubarmi. Non mi fido di lui come
non mi fido di nessuno. Forse lo sta già facendo, ma
se non altro lui è abbastanza intelligente da non farsi scoprire. E non sprecherà piccole somme per far
credere alla moglie che è un tipo eccezionale. Mi
deruberà alla grande, e io gli farò tanto di cappello.

«"Vede, signor Pigou, lei è un poveraccio. Lo è
sempre stato e lo sarà per tutta la vita. Un poveraccio e un cacasotto. Si avvicini, per favore".

«Vedendo Pigou alzarsi, sono stata sul punto di
gridare: No!

«Pigou avanzava con il braccio già pronto a pro-
teggere il viso, ma Oscar fu più veloce di lui e gli
mollò un manrovescio.

«"Questo è per avermi preso per un cretino. Potrei consegnarla alla polizia, ma la cosa non mi inte-
ressa. Esca per l'ultima volta da quella porta, recu-

peri le sue cose e sparisca. Lei è un farabutto di mezza tacca, signor Pigou, e quel che è peggio è un imbecille"».

La Cavalletta tacque.

«Se n'è andato?».

«Che altro poteva fare? Ha persino dimenticato una stilografica nel cassetto e non è mai tornato a prenderla».

«Non ha più avuto sue notizie?».

«Non durante i primi mesi».

«Sua moglie non ha telefonato?».

«Solo in settembre o all'inizio di ottobre. È venuta qui».

«L'ha ricevuta Chabut?».

«Era in ufficio quando lui è arrivato. Voleva sapere se suo marito lavorava ancora qui.

«"Non le ha detto di essere stato licenziato in giugno?".

«"No. Ha continuato a uscire il mattino alla stessa ora, ad avere gli stessi orari e a darmi a fine mese lo stipendio. Sosteneva di avere troppo lavoro per prendersi le ferie estive: 'Ci rifaremo quest'inverno. Ho sempre sognato di praticare gli sport invernali'".

«"E lei non si è meravigliata?".

«"Sa, non è che mi occupassi molto di lui...".

«Era molto più graziosa di quanto pensassi, con un bel corpicino e anche vestita con una certa eleganza.

«"Speravo potesse darmi notizie di mio marito. È scomparso da due mesi".

«"E come mai non è venuta prima?".

«"Mi sono detta che prima o poi sarebbe tornato".

«Aveva un'aria indifferente, e occhi di un marrone scuro piuttosto inespressivi.

«"Ma adesso sono quasi al verde e...".

«In quel momento è entrato Chabut, che l'ha squadrata da capo a piedi e poi mi ha chiesto:

«"Chi è?".

«"La signora Pigou" ho dovuto rispondere.

«"Cosa vuole?".

«"Credeva che il marito lavorasse ancora qui. È scomparso".

«"Questa poi!".

«"Per due o tre mesi le ha consegnato lo stipendio".

«E guardandola negli occhi:

«"Lei non si è accorta di niente? Non so dove suo marito abbia trovato i soldi, ma non dev'essere stato semplice. Non sapeva che era un ladro? Un miserabile ladruncolo che le ha fatto credere di avere avuto un aumento. Se non è più tornato a casa, significa che è alla deriva".

«"Cosa intende dire?".

«"Uno può tenersi a galla per un paio di mesi, ma viene il momento in cui cade sempre più in basso e non riesce più a risalire la china".

«"Anne-Marie, vuole lasciarci soli?".

«Sapevo cosa sarebbe successo. Ero nauseata. Sono scesa in cortile a prendere una boccata d'aria, e una mezz'ora più tardi l'ho vista uscire. Quando mi è passata accanto ha girato la testa dall'altra parte, ma ho avuto il tempo di notare che aveva uno sbaffo di rossetto sulla guancia».

Maigret rimase in silenzio. Con calma caricò la pipa, la accese e alla fine mormorò:

«Figliola, permette che le rivolga una domanda su un argomento che non mi riguarda?».

La ragazza lo guardò con una certa apprensione.

«Come mai, visto che lo conosceva così bene, ha continuato ad avere rapporti intimi con lui?».

Lei rispose dapprima con disinvoltura:

«Lui o un altro... Di un uomo avevo comunque bisogno...».

Poi, più seriamente:

«Con me, era un uomo diverso. Non aveva bisogno di bluffare, di fare lo spaccone. Anzi, lasciava intravedere quanto fosse vulnerabile.

«"Forse è perché non conti nulla per me, perché sei solo una ragazzina e non cerchi di approfittare di me...".

«Aveva una gran paura della morte. Sembrava quasi che intuisse quello che gli sarebbe accaduto.

«"Uno di quei vigliacchi finirà pure per ribellarsi, santiddio!".

«"Perché fa di tutto per essere detestato?".

«"Perché non riesco a farmi amare. E allora tanto vale che mi odino a morte"».

E concluse, in tono più pacato:

«Ecco tutto. Non ho mai più avuto notizie di Pigou. Non so dove sia finito. Non mi è neanche venuto in mente di parlarle di lui, forse perché pensavo che fosse ormai una storia morta e sepolta. Ma ieri, mentre ero al cinema, d'improvviso ho ripensato a quello schiaffo...».

Poco dopo Maigret scendeva le scale, bussava alla porta del contabile ed entrava nel suo ufficio. Trovò Lapointe che stava conversando con un giovanotto insignificante, con indosso un abito scuro e dozzinale.

«Capo, le presento Jacques Riolle».

«Ci siamo già visti».

«È vero. Me n'ero dimenticato».

Riolle se ne stava lì in piedi, intimorito dal commissario. Il suo era l'ufficio più buio e più triste della ditta, e anche quello in cui, per ragioni misteriose, l'odore di vinaccia era più intenso. Sugli scaffali erano allineati dei classificatori verdi come se ne vedono in certi studi di provincia. Una enorme cassaforte di un vecchio modello troneggiava fra le due finestre e i mobili, visibilmente comprati d'occasione, erano coperti di macchie d'inchiostro e anche di incisioni, come i banchi di scuola.

Intimidito, Riolle dondolava sulle gambe e Maigret aveva l'impressione di trovarsi di fronte Gilbert Pigou ai suoi esordi.

«Hai finito, Lapointe?».

«La stavo aspettando, capo».

Salutarono il giovanotto, e pochi minuti dopo risalivano sull'utilitaria nera. Lapointe sospirò:

«Temevo che non scendesse più. Quel tipo è così triste e insipido che il tempo non passava mai.

«Però alla fine si è sbottonato. Non è contabile, ma segue dei corsi serali e spera di ottenere il diploma fra due anni. È fidanzato con una ragazza del suo paese. Sono di Nevers. Potranno sposarsi solo quando lui avrà un aumento, perché per ora non guadagna abbastanza per mettere su famiglia...».

«La ragazza abita sempre a Nevers?».

«Sì. Vive con i genitori e lavora in una merceria. Lui va a trovarla una volta al mese».

Lapointe si stava dirigendo automaticamente verso il Quai, ma Maigret lo bloccò.

«Non rientriamo subito. Portami prima al 51 bis di rue Froidevaux».

Imboccarono boulevard Saint-Michel, poi girarono a destra verso il cimitero di Montparnasse.

«Il giovane Riolle non ha conosciuto il suo predecessore?».

«No. Ha risposto a un annuncio. Chabut stesso gli ha fatto il colloquio».

«Per avere la certezza che fosse una nullità!».

«Cosa intende dire?».

«Che ad eccezione di Louceck si circondava di persone deboli, sottomesse, che poteva disprezzare. Insomma, quell'uomo disprezzava tutti, gli uomini come le donne, quelli che lavoravano per lui come gli amici che frequentavano la sua casa. Sono convinto che si portava a letto così tante donne solo per provare la sensazione di dominarle, per infangarle in un certo senso».

«Capo, siamo arrivati».

«Forse è meglio che tu non salga con me. Vado a trovare la signora Pigou, e se ci presentiamo in due rischiamo di far sembrare la cosa troppo ufficiale e di intimorirla. Aspettami in quel piccolo caffè».

Spinse la porta della guardiola.

«Cerco la signora Pigou».

«Quarto piano, a sinistra».

«È in casa?».

«Dovrebbe esserci. Non l'ho vista uscire».

Dato che non c'era ascensore, salì a piedi i quattro piani fermandosi di tanto in tanto per riprendere fiato. Lo stabile era pulito, in buono stato, e le scale abbastanza luminose. Al primo piano udì il brusio di una radio. Al secondo, un bambino di quattro o cinque anni era seduto su uno scalino e giocava con una macchinina.

Al quarto, non vedendo il campanello, bussò. Rimase in attesa per un po' e bussò di nuovo, infastidito al pensiero che forse avrebbe dovuto tornare.

Accostò l'orecchio alla porta, e dall'interno non gli giunse alcun rumore. Bussò comunque una terza volta, abbastanza forte perché la porta vibrasse sotto i suoi colpi, e stavolta dei passi si avvicinarono; in realtà era piuttosto un fruscio, come se la persona portasse le pantofole.

«Chi è?».

«La signora Pigou, per favore».

«Un momento».

Passò più di un minuto prima che la porta venisse infine socchiusa. Una giovane donna lo guardò incuriosita, stringendosi al petto i lembi di una vestaglia.

«Cosa vende?».

«Non vendo niente. Desidero solo parlare con lei. Sono il commissario Maigret della Polizia giudiziaria».

La donna esitò ancora un attimo, ma alla fine lo fece entrare.

«Prego. Non mi sentivo bene e stavo riposando».

Quando furono nel soggiorno, lei andò a chiudere la porta della camera, dove Maigret aveva fatto in tempo a vedere un letto in disordine.

«Si accomodi» gli disse indicando una sedia.

La finestra dava sul cimitero e sugli alti alberi dei boulevard. I mobili dovevano essere stati comperati in un grande magazzino di boulevard Barbès. Erano in stile rustico, come si legge nei cataloghi.

Su un tavolino c'era un giradischi, e sul divano accanto erano sparpagliati dei dischi, come se Liliane avesse l'abitudine di sdraiarsi lì ad ascoltare la musica. Un portacenere era pieno di mozziconi di sigarette.

«Si tratta di mio marito?».

«Sì e no. Ha sue notizie?».

«Nessuna. Sono stata alla sua ditta, e sono sei mesi che non ci mette piede».

«Da quanto tempo l'ha lasciata?».

«Da due mesi. Era la fine di settembre, il giorno in cui avrebbe dovuto portarmi lo stipendio».

Era seduta sul bracciolo di una poltrona, e ogni volta che i lembi della vestaglia si aprivano lasciavano intravedere la camicia da notte rosa confetto. Lei non ci badava. Doveva essere la sua tenuta da casa.

«Da quanto siete sposati?».

«Da otto anni. È entrato per caso nel negozio dove lavoravo per comprarsi una cravatta. Ci ha messo un'eternità a sceglierla. Sembrava molto colpito. La sera, quando sono uscita, mi ha seguito. Per quattro o cinque giorni ha continuato a camminare dietro di me senza trovare il coraggio di rivolgermi la parola».

«Abitava già in questo appartamento?».

«No. Viveva in una camera ammobiliata nel Quartiere Latino. Non erano passate neanche tre settimane da quando ci eravamo conosciuti che già mi chiedeva di sposarlo. Io non ero molto entusiasta. Era un ragazzo a posto, ma non certo uno da perderci la testa».

«Non era innamorata?».

Lei lo guardò, soffiando fuori il fumo della sigaretta.

«Perché, succede davvero? Guardi, io non ci credo molto...».

«Una domanda, signora Pigou. Suo marito zoppica leggermente?».

«Da quando è stato investito da una macchina e si è rotto la rotula, se cammina in fretta tende a buttare la gamba sinistra di lato».

«È successo da molto tempo?».

«Prima che ci incontrassimo».

«Da quanto tempo lo conosce?».

«Otto anni. Un mese di fidanzamento, diciamo così, e il resto di vita coniugale».

«Lei ha continuato a lavorare?».

«Per tre anni. Ma non poteva andare avanti così. La mattina dovevo preparare la colazione e riordinare un po'. A mezzogiorno pranzavamo insieme in un ristorante e la sera mi toccava fare la spesa, cucinare e occuparmi della casa. Non era vita, quella...».

Maigret guardava il divano coperto di dischi e di riviste, il portacenere con i mozziconi. Doveva essere il suo posto preferito, e forse era lì che dormiva quando lui aveva dovuto bussare con tanta insistenza.

Aveva degli amanti? Avrebbe scommesso di sì: per ingannare il tempo, per una specie di romanticismo.

Il suo viso aveva un'espressione imbronciata che sembrava esserle abituale.

«E non ha avuto alcun sospetto finché suo marito non è sparito?».

«No. Non so se ha lavorato da un'altra parte, ma usciva di casa e rientrava sempre alla stessa ora».

«E alla fine del mese le consegnava la stessa somma?».

«Sì. Io gli lasciavo quaranta franchi al mese per le sigarette e per le piccole spese».

«E vedendo che non tornava non si è preoccupata?».

«Non molto. Non sono il tipo che si allarma facilmente. Ho telefonato al suo ufficio. Mi ha risposto un uomo. Gli ho detto che volevo parlare con mio marito.

«"Non c'è" mi ha risposto.

«"Non sa quando torna?".

«"Non lo so proprio. È da molto che non lo vedo...".

«Ha riattaccato. A quel punto ho cominciato a preoccuparmi un po', e sono andata in commissariato a chiedere se avevano sentito parlare di lui, o se per caso era rimasto vittima di un incidente».

Non doveva avere insistito molto.

«Lei sa dov'è?» gli chiese.

«No. Venivo appunto a chiederlo a lei. Non ha idea di dove potrebbe essersi rifugiato?».

«Non da suo padre, che abita da quasi cinquant'anni in rue d'Alésia. Gilbert è nato in quell'appartamento. Praticamente è sempre rimasto in quel quartiere. Sua madre è morta. Suo padre è in pensione. Era cassiere in una filiale del Crédit Lyonnais».

«I due andavano d'accordo?».

«Fino a quando Gilbert mi ha sposato. Suo padre non mi poteva vedere, credo. Gilbert ovviamente stava dalla mia parte, e quindi negli ultimi anni erano in rotta».

«Non ha avvertito il padre che era scomparso?».

«A che sarebbe servito? Tanto si vedevano solo il primo dell'anno. Ci andavamo insieme e ci toccava un bicchiere di porto con un biscotto. Vedendo l'appartamento, si capiva subito che viveva solo».

«Come si spiega che suo marito abbia continuato per tre mesi a portarle lo stipendio quando aveva già lasciato il suo impiego?».

«Probabilmente lavorava da un'altra parte».

«Avevate dei risparmi?».

«Avevamo debiti, quelli sì! Dobbiamo ancora finire di pagare il frigorifero e ho appena fatto in tempo a disdire la lavastoviglie, che dovevano consegnarmi a settembre».

«Possedeva oggetti di valore?».

«Assolutamente no. Anche gli anelli che mi ha regalato sono falsi. Non mi ha ancora detto perché si sta occupando di lui».

«Il suo principale l'ha licenziato alla fine di giugno, dopo aver scoperto che da tre anni attingeva più o meno abilmente alla cassa».

«Aveva un'amante?».

«No. Prelevava somme molto piccole. All'inizio cinquanta franchi al mese».

«Allora era quello l'aumento?».

«Appunto. Lei continuava a dirgli che doveva par-

123

lare con il signor Chabut ma, dato che non aveva il coraggio di farlo e che comunque non sarebbe servito a niente, ha cominciato a falsificare i conti. Da cinquanta franchi è passato a cento. Poi, lo scorso Natale...».

«I cinquecento franchi di gratifica!».

Scrollò le spalle.

«Che stupido! Un bel successo! Spero che abbia trovato un altro impiego».

«Ne dubito».

«Perché?».

«Perché mi è capitato di incontrarlo per strada in momenti diversi della giornata, quando uffici e negozi sono aperti».

«Ha fatto qualcosa? Se lei lo cerca ci sarà un motivo».

«Mercoledì scorso Oscar Chabut è stato ucciso da un uomo che lo aspettava davanti a una casa d'appuntamenti di rue Fortuny. Suo marito ha una pistola?».

«Una piccola automatica nera, che gli aveva regalato un amico quando era sotto le armi».

«È ancora qui?».

La donna si alzò e trascinò le pantofole fino alla camera da letto, dove la si sentì aprire e chiudere dei cassetti.

«Non la trovo. Deve averla presa. Per quanto ne so, non l'ha mai usata e chissà se aveva delle pallottole. Non ricordo di averle mai viste».

Si accese un'altra sigaretta e questa volta si sedette nella poltrona.

«Crede davvero che sarebbe stato capace di uccidere il suo principale?».

«Chabut l'ha trattato come un cane, e a un certo punto gli ha dato un ceffone».

«Lo conosco. L'ho incontrato, insomma. E la cosa non mi stupisce affatto. È un vero animale».

«Non le ha raccontato quello che era successo?».

«No. Mi ha solo detto che era contento di essersi liberato di lui e che anche per me era una vera liberazione».

«Le ha dato del denaro?».

«Perché me lo chiede?».

«Direi che è nel suo stile. Posso immaginare quel che è successo».

«Allora lei ha davvero molta immaginazione».

«No. Ma so come trattava le donne».

«Intende dire che le trattava tutte allo stesso modo?».

«Sì. Le ha dato un altro appuntamento?».

«Ha voluto il mio numero di telefono».

«Ma non l'ha più chiamata...».

«No».

«Non mi ha dato una risposta riguardo ai soldi».

«Mi ha messo in mano un biglietto da mille franchi».

«E da allora come tira avanti?».

«Come posso. Rispondo a delle inserzioni, ma senza risultato per ora».

Maigret si alzò, con il corpo intorpidito e la fronte coperta da un velo di sudore.

«La ringrazio di avermi ricevuto».

«Aspetti. Ha detto di averlo visto parecchie volte, quindi forse riuscirà a trovarlo».

«Sempre che lo incontri di nuovo e che non sparisca tra la folla come ha fatto finora».

«Che aspetto ha?».

«Di un uomo stanco, che da un pezzo non dorme in un vero letto. Non ha amici a Parigi?».

«Non che io sappia. Frequentavamo solo una mia amica, Nadine, che vive con un musicista. A volte la sera venivano a trovarci. Andavamo a comprare un paio di bottiglie di vino, e lui suonava la chitarra elettrica».

Doveva essere andata a letto anche con il musicista, e probabilmente con molti altri.

«Arrivederci, signora».

«Arrivederci, signor commissario. Se ha notizie, mi tenga al corrente, per favore. È pur sempre mio marito. Se ha davvero ammazzato qualcuno, preferirei saperlo. Dovrebbe bastare per ottenere il divorzio, non crede?».

«Credo proprio di sì».

Annotò l'indirizzo del padre di Pigou, in rue d'Alésia, e raggiunse Lapointe nel piccolo caffè, dove stava leggendo il giornale del pomeriggio.

«Allora, capo?».

«Una puttanella. Di rado ho incontrato in una sola inchiesta così tante persone sgradevoli. Cameriere, un rum».

«Non sa nulla che possa indicarci una pista?».

«No. Non si è mai occupata di lui. Appena ha potuto ha smesso di lavorare, e a quanto ho visto passa le sue giornate sdraiata sul divano ad ascoltare dischi, fumare e sfogliare riviste. Scommetto che sa tutto della vita intima delle star. Quando il marito è scomparso, in pratica non ha fatto una piega, e quando le ho detto che forse aveva ucciso un uomo mi ha chiesto se le sarebbe bastato per ottenere il divorzio».

«Adesso che facciamo?».

«Lasciami in rue d'Alésia, vorrei scambiare due chiacchiere con il padre».

«Con il padre di lei?».

«No, con il padre di lui. È stato cassiere al Crédit Lyonnais e ora è in pensione. Ha rotto con il figlio quando lui si è sposato».

Il caseggiato di rue d'Alésia era un po' più signorile, e con gran sollievo di Maigret aveva l'ascensore. Quando suonò, la porta si aprì quasi subito.

«Sì?».

«Signor Pigou?».

«Sono io. Cosa desidera?».

«Posso entrare?».

«Vuole vendermi un'enciclopedia? Solo la settimana scorsa sono venuti quattro suoi colleghi».

«Commissario Maigret, della Polizia giudiziaria».

L'appartamento odorava di cera e in giro non c'era un filo di polvere. Tutto era in perfetto ordine.

«Si accomodi, prego».

Si trovavano in un salottino che non doveva essere usato di frequente, e Pigou andò ad aprire le tende.

«Spero che non mi porti brutte notizie».

«Che io sappia a suo figlio non è successo niente. Vorrei solo sapere quando l'ha visto per l'ultima volta».

«È semplice. Il primo di gennaio».

E sorrise con amarezza.

«Per disgrazia ho cercato di metterlo in guardia contro quella ragazza che ha voluto sposare a tutti i costi. Vedendola, ho subito capito che non era per lui. È andato su tutte le furie e mi ha accusato di essere un vecchio egoista e di non so che altro ancora. Prima veniva a trovarmi tutte le settimane. Poi ha smesso, e l'ho rivisto solo a capodanno. Da allora viene a trovarmi con la moglie una volta l'anno, il primo di gennaio, ma solo per educazione».

«Gli serba rancore?».

«No. Non è colpa sua se stravede per quella donna».

«Le ha mai chiesto dei soldi?».

«Si vede che non lo conosce. È troppo orgoglioso per farlo».

«Neppure in questi ultimi mesi?».

«Cosa è successo?».

«In giugno ha perso l'impiego. Per tre mesi ha osservato gli stessi orari di quando lavorava in quai de Charenton e portato a casa lo stesso stipendio».

«Allora ha trovato un altro lavoro?».

«Non pensa che sia difficile, a quarantacinque anni, quando non si ha nessuna qualifica particolare?».

«Forse. Eppure...».

«Eppure da qualche parte quei soldi deve averli trovati. Alla fine di settembre è scomparso».

«Sua moglie non l'ha più rivisto?».

«No. E il suo ex datore di lavoro, Oscar Chabut, è stato ucciso per strada con quattro colpi di pistola da uno sconosciuto».

«Lei crede che...».

«Non so, signor Pigou. Io indago. Sono venuto da lei nella speranza di avere qualche informazione».

«Ne so meno di lei. Sua moglie non ha nemmeno ritenuto opportuno informarmi. Pensa che abbia qualcosa da rimproverarsi e che si nasconda?».

«È possibile. Sono quasi sicuro di averlo visto due o tre volte in questi ultimi giorni. E ho fondati motivi per ritenere che sia stato lui a telefonarmi due volte e a spedirmi una lettera scritta in stampatello...».

«Non gli ha detto...».

«Detto cosa? Se è stato lui a sparare al suo principale, sta giocando con il fuoco, come se volesse farsi arrestare. Succede spesso, più di quanto non si creda. Non ha un tetto, non ha denaro. Sa che, inevitabilmente, prima o poi lo prenderemo. Non si vergogna di aver sparato. Anzi, ne è piuttosto fiero, perché Chabut era un essere spregevole».

«Non capisco».

«La terrò al corrente, signor Pigou. E se si facesse vivo, sia così gentile da telefonarmi».

«Glielo ripeto: è improbabile che si rivolga a me».

«La ringrazio di avermi ricevuto».

Lapointe gli chiese:

«Sapeva qualcosa?».

«Ancora meno della moglie. Sono stato io a informarlo che suo figlio era scomparso. È un vecchietto curato, molto simpatico, che passa il tempo a lucidare il parquet e i mobili, a tenere in ordine l'appartamento. Non ho visto né televisore né radio. E ora andiamo al Quai. Bisogna farla finita».

Un'ora più tardi cinque dei suoi collaboratori erano riuniti intorno a lui.

6

«Sedetevi, ragazzi. Ovviamente potete fumare».

Anche Maigret si accese la pipa, guardandoli uno dopo l'altro con aria pensierosa.

«A grandi linee, conoscete tutti l'inchiesta. Da quando ho cominciato a indagare sull'assassinio di Oscar Chabut mentre usciva da una casa di rue Fortuny, c'è un uomo che sembra interessarsi a tutto quello che faccio. È intelligente, tanto che sembra prevenire ogni mia mossa. È abile nel dileguarsi rapidamente tra la folla, tanto che non sono ancora riuscito a beccarlo».

Era già il crepuscolo, ma nessuno si era preoccupato di accendere le luci, e la riunione si svolgeva in una sorta di penombra. Nell'ufficio faceva molto caldo. Erano anche andati a prendere due sedie di un ufficio vicino.

«Non ho nessuna prova della colpevolezza del nostro uomo. Solo congetture. E la sua ostinazione nel comportarsi come se fosse colpevole.

«Da questo pomeriggio conosco la sua identità e

anche la sua storia, che a prima vista ha dell'incredibile.

«Si tratta del contabile del produttore di vino. Un uomo modesto. Un travet. È sposato da otto anni. Sua moglie, che faceva la commessa, ha subito smesso di lavorare e gli rimproverava di non guadagnare abbastanza. Scriva nome e indirizzo, Lourtie. Vi dirò fra poco perché. Liliane Pigou, rue Froidevaux 57 bis. La strada fiancheggia il cimitero di Montparnasse. Passa la maggior parte del tempo sdraiata sul divano, seminuda, ad ascoltare dischi, a fumare una sigaretta dopo l'altra e a leggere riviste e fumetti.

«Vi ho riuniti perché ho deciso di prenderlo a ogni costo. Probabilmente è armato, ma non credo che tenterà di sparare.

«Lei, Janvier, scelga sei uomini che si daranno il cambio a due a due davanti al Quai. Questo tipo mi ha telefonato due volte, mi ha scritto una lunga lettera e, almeno una volta mi ha spiato dal marciapiede di fronte. Sfortunatamente è riuscito a sparire prima che lo raggiungessi».

L'aria si stava facendo azzurrina. Maigret accese la lampada col paralume verde che si trovava sulla scrivania ma non il lampadario centrale, sicché i loro volti si profilavano nelle zone rimaste in ombra.

«Appuntatevi i suoi connotati. È piuttosto basso, meno di un metro e settanta. Non è corpulento, direi piuttosto grassoccio, con un viso tutto tondo. Porta un completo marrone scuro e un impermeabile sgualcito. Fuma sigarette. E per finire ha una gamba matta. Parecchi anni fa ha avuto un incidente e camminando butta la gamba sinistra di lato».

«Castano?» chiese Lourtie.

«Castano, sì, con occhi marroni e labbra carnose. Dà l'idea, se non proprio di un barbone, di un uomo ridotto allo stremo.

«Voglio sempre due uomini di guardia, perché è bravissimo a eclissarsi.

«Capito, Janvier?».

«Sì, capo».

Maigret si girò verso il massiccio Lourtie, che tirava rapide boccate dalla sua pipa.

«Quello che ho detto a Janvier vale anche per lei. Voi tutti non dovete restare personalmente di guardia, ma assicurarvi che i vostri uomini siano appostati e si diano regolarmente il cambio».

«Va bene».

«Tocca a lei, Torrence. Una squadra di sei, come gli altri. Siamo alle grandi manovre. Non voglio rischiare che ci sgusci ancora fra le dita. Il suo settore è place des Vosges, intorno all'abitazione degli Chabut. La signora Chabut è una bella donna sulla quarantina, molto elegante, che si veste dai grandi stilisti. Ha una Mercedes con autista. A volte si serve della macchina del marito, una Jaguar rossa decappottabile».

I suoi uomini si guardavano l'un l'altro come scolari a lezione.

«E ora è il tuo turno, Lucas. Tu sorveglierai quai de Charenton. Oggi è lunedì. Questo pomeriggio e domani non ci sarà nessuno negli uffici e nelle cantine. Non so se lo stabilimento è sorvegliato».

«Tutto chiaro, capo».

«Faccio piantonare i posti dove è più probabile che si faccia vedere. Non si avvicina mai troppo. Si direbbe che sia affascinato dalla nostra inchiesta, che cerchi con ogni mezzo di intuire cosa sta succedendo e cosa succederà.

«Mi chiedo anche se, inconsapevolmente, non provi il desiderio di farsi arrestare».

«E io?» chiese Lapointe.

«Tu resti qui, a mia disposizione, sempre pronto

a venirmi a prendere a qualsiasi ora. Raduna via via tutte le informazioni che ti giungono e tienimi al corrente per telefono».

Pensando che avesse finito fecero per alzarsi, ma Maigret li bloccò con un cenno.

«Ci sono ancora dei punti oscuri. Il nostro uomo ha perso il posto verso la fine di giugno. A quanto pare non aveva risparmi, sempre che non li abbia tenuti nascosti alla moglie, alla quale consegnava mensilmente l'intero stipendio. Il suo principale non gli ha pagato il mese di giugno e si è tenuto il denaro per coprire in parte quello che gli era stato sottratto. Ma il 30 giugno, come a ogni fine mese, Pigou è tornato a casa con la solita somma.

«Sino a settembre è uscito dal suo appartamento e rientrato come sempre alla stessa ora, tanto che la moglie ignorava che lui non lavorasse più in quai de Charenton.

«Immagino che abbia cercato un lavoro e che non l'abbia trovato.

«In settembre è scomparso. Da allora si direbbe che sia alla deriva, che abbia smesso di lottare, e dal suo aspetto si deduce che non sempre trova un letto in cui dormire.

«Qualche franco al giorno per mangiare, d'altra parte, doveva pure racimolarlo. E c'è un posto che attira irresistibilmente la gente alla deriva: Les Halles. Non so proprio dove finirà quando, fra qualche mese, saranno trasferite a Rungis».

Squillò il telefono.

«Pronto! Il commissario Maigret? C'è sempre lo stesso uomo che insiste per parlarle di persona».

«Me lo passi».

E rivolto agli altri:

«È lui! Sì, pronto. Mi dica...».

«Lei ha visto mia moglie. Me l'aspettavo. Si è trattenuto a lungo da lei, mentre il suo ispettore aspettava lì vicino in un caffè. È infuriata con me?».

«Per niente, secondo me».

«Non è troppo infelice?».

«Non mi ha dato l'impressione di una donna infelice».

«Ha parlato di soldi?».

«No».

«Mi chiedo come tiri avanti».

«Qualche settimana fa è andata da Chabut, e lui le ha dato mille franchi».

Si udì un ghigno all'altro capo del filo.

«Cosa le ha detto mio padre?».

Era sbalorditivo. Sapeva quasi tutto quello che faceva Maigret. Eppure non aveva un'auto, né i soldi per prendere un taxi. Andava e veniva per tutta Parigi con la sua gamba matta senza farsi notare, e spariva come per magia appena veniva individuato.

«Non mi ha detto niente di particolare. Ho capito che non ha una grande opinione di sua moglie».

«Dica pure che la odia. È per quello che abbiamo litigato. Dovevo scegliere fra mia moglie e lui...».

Sembrava proprio che avesse puntato sul cavallo sbagliato.

«Perché non viene a trovarmi qui al Quai des Orfèvres? Potremmo parlare a quattr'occhi. Se lei non ha ucciso Chabut, potrà andarsene libero com'è arrivato. In caso contrario un buon avvocato riuscirà a farle avere il minimo della pena, se non addirittura l'assoluzione. Pronto!... Pronto!...».

Gilbert Pigou aveva riattaccato.

«Avete sentito. Sa già che sono andato da sua moglie, nel loro appartamento, e che poi ho incontrato il padre».

Era quasi una partita, e fino a quel momento Pigou aveva vinto tutte le mani. Eppure non era particolarmente intelligente. Anzi.

«Dov'ero rimasto? Ah! Sì, Les Halles. È il quartiere di Parigi dove abbiamo maggiori probabilità di rintracciare un uomo che sta andando a picco. Vorrei che, a partire da stanotte, una dozzina di ispettori rastrellasse meticolosamente il settore. Possono chiedere aiuto agli ispettori del I arrondissement, che conoscono meglio la zona».

Forse tutte quelle misure si sarebbero rivelate inutili... Sperare era lecito, ma le probabilità che Pigou si facesse beccare erano scarse. Non era escluso che fosse ancora una volta là fuori, sul marciapiede di fronte, a guardare le finestre illuminate dell'ufficio di Maigret.

«È tutto, ragazzi».

Mentre si alzavano come degli scolaretti e si dirigevano verso la porta, Maigret prese di nuovo la parola.

«Una raccomandazione importante. Nessuno degli uomini deve essere armato. E questo vale anche per voi. Non voglio assolutamente, qualunque cosa succeda, che qualcuno gli spari».

«E se spara prima lui?» borbottò il massiccio Lourtie.

«Ho detto che non voglio assolutamente. E comunque lui non sparerà. Ci tengo ad averlo vivo e in buona salute».

Erano le cinque e mezzo. Maigret aveva fatto tutto il possibile. Non gli restava che attendere gli eventi. Era stanco e l'influenza continuava a essergli d'impaccio.

«Lapointe, fermati un attimo. Che ne pensi del mio piano?».

«Può darsi che funzioni».

L'ispettore non era molto convinto.

«Se vuole davvero la mia opinione, o lo becchiamo per caso, e Dio solo sa quando, oppure continuerà a sfuggirci sinché non avrà deciso di lasciarsi beccare».

«In fondo lo penso anch'io, ma sono costretto a prendere dei provvedimenti. Adesso portami a casa. Non vedo l'ora di essere accanto al fuoco in pantofole e poi di infilarmi a letto».

Si sentiva la testa in fiamme e cominciava ad avere mal di gola. Che la sua influenza fosse in realtà una faringite?

Quando fu in macchina si guardò ansiosamente intorno, ma non vide la figura che occupava i suoi pensieri.

«Passiamo un attimo alla Brasserie Dauphine».

Aveva un cattivo sapore in bocca e sentiva il bisogno, prima di rientrare a casa, di una bella birra fresca.

«Tu cosa prendi?».

«Una birra anche per me. Faceva caldo nel suo ufficio».

Maigret ne bevve due d'un fiato, si pulì le labbra e riaccese la pipa. A Châtelet ritrovarono le luci di Natale e le luminarie che andavano da un marciapiede all'altro. Gli altoparlanti di un grande magazzino diffondevano le classiche musiche natalizie.

Anche davanti a casa guardò a destra e a sinistra nella speranza di scorgere Pigou, ma non c'era nessuno che gli somigliasse.

«Buonanotte, figliolo».

«Cerchi di stare bene, capo».

Salì lentamente le scale e arrivò senza fiato al pianerottolo, dove la signora Maigret lo stava aspettando. Le bastò un'occhiata per capire che non stava bene e che era piuttosto abbacchiato.

«Su, entra. Non prendere freddo».

Altro che freddo... Aveva caldo e sudava. Si tolse il

pesante cappotto e la sciarpa, allentò il nodo della cravatta e si lasciò cadere con un sospiro nella sua poltrona.

«Comincio ad avere mal di gola».

Lei non diede troppo peso alla cosa. Quasi ogni anno Maigret si beccava un'influenza che durava una settimana o due: solo che tendeva a dimenticarselo e odiava non sentirsi in forze.

«Non ha telefonato nessuno?».

«Aspetti una telefonata?».

«Più o meno. Mi ha appena chiamato al Quai e deve conoscere il mio indirizzo di casa. È in piena agitazione, e sente il bisogno di mettersi in contatto con me».

La storia di Pigou gli riportava alla mente dei vecchi casi, e in particolare quello di un assassino che per circa trenta giorni gli aveva scritto quotidianamente lunghe lettere usando la carta intestata di brasserie sempre diverse. Per catturarlo avrebbero dovuto mettere sotto sorveglianza tutte le brasserie e tutti i caffè di Parigi, e gli effettivi di polizia non sarebbero bastati.

Una mattina, Maigret aveva notato nell'acquario, la sala d'attesa a vetri del Quai des Orfèvres, un tipo basso e di una certa età in paziente attesa.

Era il suo uomo.

«Cosa c'è per cena?».

«Razza al burro nero. Non sarà troppo pesante per te?».

«Non ho mal di stomaco».

«Non vuoi che chiami Pardon?».

«Lascia tranquillo quel poveruomo. Ha già il suo daffare con i malati veri».

«Vuoi che ti porti da mangiare a letto?».

«Già, così fra un'ora le lenzuola sono fradice...».

Accettò solo di spogliarsi e di mettersi in pigiama, vestaglia e pantofole. Tentò di leggere il giornale, ma aveva la testa altrove. Non smetteva di pensare a Pigou, il modesto contabile che si era trasformato in ladro perché la moglie gli rimproverava di avere paura del principale e di non chiedergli mai l'aumento.

Dov'era in quel momento? Gli restava ancora un po' di denaro? Dove e in che modo se l'era procurato?

Ripensava anche all'arrogante Chabut, che per gli altri provava solo disprezzo e sentiva il bisogno di rendersi odioso. Si era fatto strada di prepotenza nel mondo degli affari, ma era rimasto vulnerabile, come quando andava di porta in porta nella speranza di piazzare una cassa di vino.

Maigret aveva conosciuto altre persone insicure che si rivalevano su tutti coloro che li circondavano.

«La cena è in tavola».

Non aveva fame, ma si sforzò di mangiare. Faceva fatica a inghiottire. Forse la mattina dopo si sarebbe svegliato senza voce.

Gli uomini del Quai dovevano già essere appostati nei luoghi loro assegnati. Maigret era stato sul punto di aggiungere:

«Mettete qualcuno anche davanti a casa mia, in boulevard Richard-Lenoir».

Lo aveva trattenuto una sorta di pudore. Avrebbero potuto pensare che aveva paura. Alzatosi da tavola, andò alla finestra a dare un'occhiata fuori. Non pioveva, ma soffiava un forte vento, di nuovo un vento di levante che avrebbe portato il freddo. Vide due innamorati che passavano tenendosi a braccetto e fermandosi di continuo per baciarsi.

Vide anche degli agenti in bicicletta, che facevano tranquillamente il giro d'ispezione avvolti nel loro mantello col cappuccio. Sul lato opposto del boulevard quasi tutte le finestre erano illuminate, e qua e là dietro le tende si distinguevano delle figure, in particolare un'intera famiglia radunata intorno a un tavolo rotondo.

«Non guardi la televisione?».

«No».

Non aveva voglia di niente. Solo di brontolare, come sempre quando era indisposto o un'inchiesta andava troppo per le lunghe.

Si rifiutò di andare a letto prima del solito, e riprese a scorrere il giornale. Mezz'ora più tardi era di nuovo piazzato davanti alla finestra, intento a cercare con gli occhi una figura che ormai gli era familiare.

I marciapiedi erano deserti, e solo un taxi scendeva lungo il boulevard.

«Credi che verrà?».

«Come faccio a saperlo?».

«Secondo me ti aspetti che succeda qualcosa».

«Io mi aspetto sempre che succeda qualcosa. Ma potrebbe anche essere una telefonata di Lapointe».

«È di guardia?».

«Tutta la notte. Ha l'incarico di centralizzare tutte le informazioni che arrivano via via».

«Pensi che quell'uomo cominci a perdere la testa?».

«No. Mantiene il sangue freddo. Sembra che non si renda conto della sua situazione. È stato umiliato per tutta la vita. Per anni ha chinato la testa. Di colpo prova come un senso di liberazione. L'intera polizia lo cerca senza riuscire a catturarlo. È il suo trionfo, no? È diventato un uomo importante».

«Sarà ancora più importante quando finirà in Corte d'Assise».

«Per questo non sa se farsi prendere o continuare a giocare con noi come il gatto col topo».

Si rimise a leggere. La pipa non aveva un buon sapore, ma la fumava lo stesso per principio. Neppure lui voleva cedere, cedere all'influenza, e si sforzava di tenere gli occhi aperti anche se gli pizzicavano le palpebre.

Alle nove e mezzo si alzò di nuovo e si diresse verso la finestra. Sul marciapiede di fronte c'era un uomo, un uomo che teneva la testa alzata e sembrava stesse fissando le finestre dell'appartamento.

La signora Maigret, seduta accanto al tavolo, stava per fare una domanda quando lo sguardo le cadde sull'ampia schiena del marito che, perfettamente immobile e come irrigidito, sembrava ancora più imponente.

C'era, in quella repentina immobilità, qualcosa di misterioso, quasi di solenne.

Maigret guardava l'uomo senza avere il coraggio di muoversi, come se avesse paura di metterlo in allarme, e l'uomo guardava lui – o meglio quella che dietro le tende di mussola doveva apparirgli solo come una silhouette.

Una volta, a Meung-sur-Loire, mentre il commissario se ne stava steso su una sedia a sdraio, uno scoiattolo era sceso dal platano in fondo al giardino.

Dapprima era rimasto immobile, tanto che gli si vedeva il cuore battere sotto il soffice pelo del petto. Con prudenza era avanzato di qualche centimetro, per poi immobilizzarsi di nuovo.

Maigret osava appena respirare, e l'animaletto rossiccio sembrava fissarlo affascinato, anche se tutto il suo corpo rimaneva teso, pronto alla fuga.

Tutto si svolgeva lentamente, come al rallentatore, a tappe. Lo scoiattolo aveva preso coraggio e ridotto di un buon metro la distanza che li separava. Quell'avvicinarsi prudente era durato più di dieci minuti, e ormai lo scoiattolo era a soli cinquanta centimetri dalla mano abbandonata di Maigret.

Voleva essere accarezzato? Non era la volta buona. Aveva osservato la mano, il viso, poi di nuovo la mano e in quattro salti era tornato al suo albero.

Quel ricordo riaffiorò nella mente di Maigret mentre fissava la figura sul marciapiede di fronte. Anche Gilbert Pigou era come affascinato dal commissario, di cui aveva, in certo qual modo, seguito le tracce.

Ma come lo scoiattolo era pronto a scattare al minimo cenno di pericolo. Era inutile che il commissario si rivestisse e scendesse. Avrebbe trovato il marciapiede deserto. Né sarebbe servito telefonare al più vicino posto di polizia.

Stava cercando il coraggio di attraversare la strada ed entrare nel palazzo? Forse. Non aveva amici né confidenti.

Aveva fatto ciò che aveva stabilito: uccidere Oscar Chabut. E poi era fuggito. Perché fuggire? Per una reazione istintiva, certo. E ora che cosa aveva intenzione di fare? Continuare a recitare la parte dell'uomo braccato?

Durò più o meno una decina di minuti, come con lo scoiattolo. A un certo punto l'uomo avanzò di un passo, ma quasi subito fece marcia indietro, e dopo aver lanciato un ultimo sguardo alla finestra si allontanò in direzione di rue du Chemin-Vert.

La mole del commissario si fece meno rigida. Rimase ancora un attimo davanti alla finestra, come per ritrovare l'aspetto abituale, poi andò a prendere una pipa sulla credenza.

«Era lui?».

«Sì».

«Pensi che voglia venirti a trovare?».

«Ne ha la tentazione. Penso che tema di rimanere deluso. Un uomo come lui non può che essere molto suscettibile. Vorrebbe essere compreso e al tempo stesso pensa che sia impossibile».

«Cosa farà?».

«Camminerà, probabilmente, per andare Dio sa dove, tutto solo, rimuginando i soliti pensieri, forse parlando sottovoce».

Si era appena risistemato nella poltrona quando squillò il telefono. Sollevò la cornetta.

«Pronto».

«Il commissario Maigret?».

«Sì, figliolo».

Aveva riconosciuto la voce di Lapointe.

«Abbiamo già ottenuto un risultato, capo. Grazie agli ispettori del I arrondissement, e soprattutto a uno di loro, l'ispettore Lebœuf, che conosce Les Halles come le sue tasche. Fino a quindici giorni fa, Pigou ha abitato in una stanza, se così si può definirla, in rue de la Grande-Truanderie».

Maigret conosceva quella strada, che di notte ricorda i tempi della Corte dei miracoli. Ci sono solo relitti umani che si affollano in osterie puzzolenti per bere del vino rosso o del brodo. Alcuni ci passano la notte, seduti su una sedia o appoggiati al muro. Le donne sono numerose quanto gli uomini, e non certo meno ubriache o meno sudice.

Sono davvero i rifiuti della società, una feccia ancora più sinistra di quella che vive sotto i ponti. In quella strada dal selciato sconnesso, altre donne, quasi tutte vecchie e deformi, aspettano i clienti sulla porta delle pensioni.

«Era all'Hôtel du Cygne. Tre franchi al giorno per una branda e un pagliericcio. Niente acqua corrente. I gabinetti in cortile».

«Lo conosco».

«Pare che la notte andasse a scaricare camion di

142

frutta e verdura. Rientrava solo all'alba e restava a letto una parte della giornata».

«Quando ha lasciato l'albergo?».

«Il proprietario dice che non l'ha più visto da due settimane. La sua stanza è stata subito affittata ad altri».

«Nel quartiere continuano a cercare?».

«Sì. Sono circa in quindici a dividersi il lavoro. Gli ispettori del I arrondissement chiedono perché non organizziamo una retata, come fanno loro periodicamente».

«Non ci manca che questo. Gli hai raccomandato di essere discreti?».

«Sì, capo».

«Hai notizie degli altri?».

«Nessuna».

«Qualche minuto fa Pigou era qui, in boulevard Richard-Lenoir».

«L'ha visto?».

«Dalla finestra. Era fermo qui di fronte, sull'altro marciapiede».

«Non ha cercato di avvicinarlo?».

«No».

«Se n'è andato?».

«Sì. Forse tornerà. Ma può anche darsi che all'ultimo momento non riesca a decidersi e che si allontani di nuovo».

«Ha altre istruzioni da darmi?».

«No. Buonanotte, ragazzo mio».

«Buonanotte, capo».

Maigret si sentiva pesante, e prima di rimettersi a sedere si versò un bicchierino di prunella.

«Non credi che ti farà venire caldo?».

«Quando si ha l'influenza si bevono dei grog, no? Anche se Pardon li sconsiglia...».

«Bisognerà che li invitiamo a cena. È più di un mese che non li vediamo».

«Prima devo chiudere questa faccenda. Lapointe aveva novità. Adesso sappiamo dove Pigou ha passato parecchie settimane, se non addirittura mesi. In una topaia vicino alle Halles che chiamano poeticamente Hôtel du Cygne».

«Se ne è andato?».

«Da due settimane».

Maigret rifiutò di coricarsi prima di un'ora ragionevole, e per lui un'ora ragionevole era dopo le dieci. Ogni tanto guardava la pendola, poi si sforzava di leggere il giornale. Ma dopo aver scorso qualche riga di un articolo non sarebbe stato in grado di dire di che cosa parlava.

«Sei morto di stanchezza».

«Fra dieci minuti andiamo a letto».

«Misurati la febbre».

«Se vuoi».

Gli portò il termometro e lui lo tenne in bocca senza protestare per cinque minuti.

«Trentotto».

«Domani, se hai ancora la febbre, telefono a Pardon, che tu lo voglia o no».

«Domani è martedì».

«Pardon verrà lo stesso».

La signora Maigret andò a prepararsi per la notte, parlandogli da una stanza all'altra.

«Non mi piace quando cominci ad avere la gola rossa. Adesso te la spennello».

«Lo sai che rischi di farmi vomitare».

«Non te ne accorgerai neanche. L'ultima volta mi hai detto la stessa cosa ed è andata benissimo».

Era un liquido vischioso a base di blu di metilene, che gli passava in gola con l'aiuto di un pennellino.

Un rimedio d'altri tempi, ma la signora Maigret da oltre vent'anni gli era fedele.

«Apri bene la bocca».

Prima di andare a letto non poté trattenersi dal guardare di nuovo fuori dalla finestra; dopodiché chiuse le imposte.

Non c'era nessuno sul marciapiede di fronte, e il vento soffiava sempre più forte, sollevando nubi di polvere al centro del boulevard.

Dormiva così profondamente, che gli ci volle un po' per riemergere da quel sonno febbricitante e tornare alla realtà. Qualcosa di vivo gli sfiorava il braccio con insistenza, e la sua prima reazione fu di ritrarsi.

Era una mano, che sembrava volesse trasmettergli un messaggio, e lui la respinse per la seconda volta, cercando di girarsi dall'altra parte.

«Maigret...».

La voce di sua moglie era appena percettibile.

«È qui, sul pianerottolo. Non ha avuto il coraggio di suonare, ma ha bussato piano. Mi senti?».

«Cosa?».

Allungò il braccio per accendere la lampada sul comodino e si guardò intorno stranito. Cosa stava sognando un attimo prima? Se n'era già scordato, ma aveva la sensazione di tornare da molto lontano, da un altro mondo.

«Cosa hai detto?».

«È qui. Ha bussato con discrezione alla porta».

Si alzò e andò a prendere la vestaglia sulla poltrona.

«Che ore sono?».

«Le due e mezzo».

Prese la pipa che non aveva terminato di fumare prima di andare a letto e la riaccese.

«Non hai paura che...».

145

Andando in salotto accese la luce, si diresse verso la porta d'ingresso, restò immobile per un istante e alla fine aprì la porta.

L'interruttore a tempo era scattato già da un po', e l'uomo affiorò dall'oscurità, illuminato dalle luci dell'appartamento. Cercava di dire qualcosa. Doveva essersi preparato un discorso, ma davanti a Maigret, che era a due passi da lui in vestaglia e con i capelli arruffati, rimase così intimidito che riuscì solo a balbettare:

«La disturbo, vero?».

«Entri, Pigou».

Poteva ancora precipitarsi giù per le scale e fuggire, perché era più giovane e veloce del commissario. Una volta oltrepassata la porta sarebbe stato troppo tardi, e Maigret badò a restare immobile, come con lo scoiattolo.

L'uomo ebbe solo qualche istante di esitazione, ma sembrò un'eternità. Quando avanzò, Maigret fu lì lì per chiudere la porta a chiave e mettersi la chiave in tasca, ma poi si limitò a scrollare le spalle.

«Non ha freddo?».

«Effettivamente non è una notte calda, con questa tramontana...».

«Si accomodi lì. Quando si sarà riscaldato, potrà togliersi l'impermeabile».

Andò sino alla porta della camera da letto, e senza entrare disse a sua moglie che si stava vestendo:

«Ci prepareresti due grog?».

Poi, rilassato, si sedette di fronte al visitatore. Finalmente lo vedeva da vicino. Di rado qualcuno lo aveva incuriosito tanto.

Quel che più lo stupiva era l'aspetto giovanile di Pigou. Il suo viso tondo, paffuto, aveva qualcosa di incompiuto, di infantile.

«Quanti anni ha?».

«Quarantaquattro».

«Non li dimostra».

«È per me che ha chiesto un grog?».

«Anche per me. Ho l'influenza, forse una faringite, il grog mi farà bene».

«Di solito non bevo, a parte un bicchiere di vino ai pasti. Sono sudicio, vero? È un bel po' che non riesco a portare gli abiti in lavanderia. L'ultima volta che mi sono lavato con l'acqua calda è stato una settimana fa, ai bagni pubblici di rue Saint-Martin».

Si scrutavano a vicenda, parlando sottovoce.

«Mi aspettavo che salisse qualche ora fa».

«Mi ha visto?».

«Ho anche intuito che non sapeva che pesci pigliare. Ha fatto un passo in avanti, poi si è allontanato verso rue du Chemin-Vert».

«Vedevo la sua sagoma alla finestra. Ma dato che ero al buio non sapevo se poteva vedermi e soprattutto riconoscermi».

Udendo dei rumori, trasalì come lo scoiattolo. Era la signora Maigret che portava i grog e che per discrezione evitava di fissare il visitatore.

«Molto zucchero?».

«Sì, grazie».

«Limone?».

Gli preparò il bicchiere e lo depose sul tavolino che aveva davanti. Poi servì il marito.

«Se hai bisogno, chiamami».

«Forse più tardi potresti portarci altri due grog».

Si capiva che Pigou era stato un ragazzo educato e che voleva comportarsi come si deve. Teneva il bicchiere in mano aspettando che il commissario bevesse per primo.

«È bollente, ma è quello che ci vuole, vero?

«Almeno la scalderà. Forse adesso può togliersi l'impermeabile».

Ubbidì. Il suo completo di discreta fattura era spiegazzato e pieno di macchie, una delle quali, abbastanza grande, di vernice bianca.

Ora non sapevano cosa dirsi. Entrambi erano consapevoli del fatto che se avessero ricominciato a parlare avrebbero dovuto affrontare questioni spinose, ed entrambi, per ragioni diverse, esitavano.

Il silenzio durò a lungo. Bevvero ancora un sorso di grog. Maigret si alzò per riempirsi un'altra pipa.

«Lei fuma?».

«Non ho più sigarette».

Ce n'erano nel cassetto della credenza e Maigret le porse al suo ospite. Sempre più confuso, questi guardò il commissario che gli avvicinava un fiammifero acceso come se non credesse ai propri occhi.

Quando furono di nuovo seduti, Pigou disse:

«Anzitutto devo scusarmi per averla disturbata a casa sua, e per di più in piena notte... Avevo paura a entrare al Quai des Orfèvres. E non potevo continuare a camminare da solo per le vie di Parigi».

Maigret non perdeva una sola delle espressioni del suo volto. Nell'intimità dell'appartamento, con un grog a portata di mano e la pipa in bocca, aveva l'aria di un fratello maggiore indulgente al quale si può raccontare tutto.

7

«Cosa pensa di me?».

Erano praticamente le sue prime parole, e si capiva che ai suoi occhi quella domanda era di capitale importanza. Doveva aver cercato la risposta negli occhi della gente per tutta la vita.

Cosa rispondergli?

«Non la conosco ancora a sufficienza» mormorò Maigret sorridendo.

«Lei è così gentile con tutti i criminali?».

«Posso essere anche molto cattivo».

«Con che tipo di persone, per esempio?».

«Uomini come Oscar Chabut».

Di colpo gli occhi di Pigou si illuminarono come se avesse appena trovato un alleato.

«Deve sapere che gli ho davvero rubato un po' di soldi. Forse neanche quello che lui spendeva in un mese per le mance. Ma il vero ladro era lui. Mi ha rubato la dignità, l'orgoglio di essere un uomo, mi ha umiliato a un punto tale che quasi mi vergognavo di vivere».

«Come le è venuta l'idea di prelevare denaro dalla cassa delle spese correnti?».

«Devo dire tutto, non è vero?».

«Altrimenti non valeva la pena che venisse qui».

«Lei ha incontrato mia moglie. Cosa ne pensa?».

«La conosco poco. Si è sposata per smettere di lavorare, e mi stupisce che abbia continuato per altri tre anni».

«Due anni e mezzo».

«È una di quelle donne che desiderano starsene in casa tranquille».

«Come ha fatto a indovinarlo?».

«È evidente».

«Spesso la sera ero io a mettere in ordine. Se le avessi dato retta, saremmo andati tutte le sere al ristorante per non farla lavorare. Non credo sia colpa sua. È apatica. Come le sue sorelle».

«Abitano a Parigi?».

«Una vive ad Algeri, sposata con un ingegnere che lavora nell'industria petrolifera. L'altra abita a Marsiglia e ha tre bambini».

«Perché voi non ne avete avuti?».

«Io li volevo, ma Liliane era assolutamente contraria».

«Capisco».

«Ha una terza sorella e un fratello che...».

Scosse la testa.

«Ma a che serve parlare di tutto questo? Sembra che io stia cercando di attenuare le mie responsabilità».

Bevve un altro sorso di grog e si accese una seconda sigaretta.

«La costringo a restare alzato, a quest'ora...».

«Anche sua moglie la umiliava».

«Come lo sa?».

«Le rimproverava di non guadagnare abbastanza, vero?».

«Ripeteva sempre che si chiedeva come aveva fatto a sposare uno come me.

«E poi sospirava:

«"Passare tutta la vita in due stanze più cucina senza neanche una donna di servizio"».

Sembrava che parlasse più che altro a se stesso e guardava, anziché Maigret, un angolo del tappeto.

«La tradiva?».

«Sì. Sin dal primo anno del nostro matrimonio. Io l'ho scoperto solo due o tre anni dopo. Un giorno che ero uscito dall'ufficio durante le ore di lavoro per andare dal dentista l'ho vista sottobraccio a un uomo vicino alla Madeleine, e poi sono entrati in un albergo».

«Gliene ha parlato?».

«Sì. Ma alla fine è stata lei a coprirmi di rimproveri. Non le offrivo il tenore di vita a cui una giovane donna ha diritto. La sera cascavo dal sonno e lei doveva trascinarmi quasi di forza al cinema. Cose di questo genere. E poi diceva che non riuscivo a soddisfarla sessualmente...».

Pronunciando l'ultima frase era arrossito: quell'accusa doveva essere stata per lui la più penosa.

«Un giorno, il giorno del suo compleanno, tre anni fa, ho prelevato dalla cassa solo il necessario per pagarci una buona cena e l'ho portata in un ristorante dei Grands Boulevards.

«"Credo che avrò un aumento" le ho annunciato.

«"Era ora. Il tuo principale dovrebbe vergognarsi di pagarti così poco. Se ce l'avessi davanti, saprei bene cosa dirgli, io"».

«Prendeva solo piccole somme?».

«Sì. All'inizio le ho raccontato che avevo avuto un aumento di cinquanta franchi al mese. Ma di lì a poco le è sembrata una somma insufficiente e allora mi sono dato un aumento, diciamo così, di cento franchi».

«Non aveva paura di essere scoperto?».

«Era diventata un'abitudine. Nessuno controllava i miei conti. Era una tale inezia rispetto ai complessi meccanismi dell'azienda!».

«Una volta, ha preso una banconota da cinquecento franchi».

«È stato a Natale. Le ho raccontato che avevo avuto una gratifica. Ormai quasi quasi ci credevo anch'io. Migliorava la mia autostima.

«Vede, non ho mai avuto una grande opinione di me stesso. Mio padre voleva che entrassi come lui al Crédit Lyonnais, ma avrei dovuto misurarmi con persone molto più brillanti di me. Al quai de Charenton me ne stavo tranquillo nel mio angolino e nessuno, o quasi, si occupava di me».

«Come ha fatto Chabut ad accorgersi dei suoi furti?».

«Non è stato lui a scoprirli, ma il signor Louceck. Veniva di tanto in tanto a dare un'occhiata alla mia contabilità. Qualcosa deve avergli messo una pulce nell'orecchio. Invece di parlarmene, di interrogarmi, ha fatto come se niente fosse e ha spifferato tutto al signor Chabut».

«È successo in giugno?».

«A fine giugno, sì. Il 28 giugno, non lo dimenticherò mai. Mi ha fatto dire che dovevo salire nel suo ufficio. La segretaria era presente e lui non le ha chiesto di uscire. Non ero preoccupato, perché l'idea che avesse scoperto il mio imbroglio non mi aveva neppure sfiorato».

«Le ha detto di sedersi».

«Sì. Come lo sa?».

«La Cavalletta, Anne-Marie intendo dire, mi ha

raccontato la scena. Dopo qualche minuto era imbarazzata quanto lei».

«E io ero imbarazzato perché mi facevo mettere i piedi in testa davanti a una donna. È riuscito a trovare le parole più sprezzanti, le più crudeli. Avrei preferito di gran lunga che mi consegnasse alla polizia.

«Sembrava che ci provasse gusto. Non appena pensavo che avesse finito, ricominciava in modo ancora più violento. Vuole sapere che cosa mi rimproverava di più? Che io avessi sottratto solo piccole somme.

«Sosteneva che avrebbe anche potuto rispettare un vero ladro, ma non un imbroglione di mezza tacca come me».

Rimase per un istante in silenzio per riprendere fiato, perché aveva parlato con foga ed era paonazzo in viso. Bevve ancora un sorso e Maigret fece altrettanto.

«Quando mi ha ordinato di avvicinarmi a lui, non avevo la minima idea di quello che avrebbe fatto, eppure avevo paura. Lo schiaffo mi ha colpito in piena faccia, e per un po' dev'essermi rimasto il segno delle cinque dita.

«Nessuno mi aveva mai dato uno schiaffo. Anche quando ero piccolo, i miei non mi picchiavano. Sono rimasto lì, barcollante, incapace di reagire, e lui ha sibilato qualcosa come:

«"E adesso, fuori di qui...".

«Non so se è stato allora o un po' prima che mi ha annunciato che non mi avrebbe dato referenze e che mi avrebbe impedito in ogni modo di trovare un impiego decente».

«Era mortificato anche lui» mormorò Maigret con molta delicatezza.

Pigou si girò di scatto, così sbalordito da rimanere a bocca aperta.

«D'altro canto le ha detto che non ci si poteva impunemente prendere gioco di lui».

«È vero. Non avevo capito che era quella la ragione profonda del suo atteggiamento. Lei pensa che fosse irritato?».

«Più che irritato. Era un uomo forte, o che almeno si considerava tale, e che era sempre riuscito in tutto. Non dimentichi che aveva cominciato come piazzista di enciclopedie.

«A stento si ricordava della sua esistenza. Lei vivacchiava in una stanza al pianterreno dove in pratica lui non metteva mai piede, ed era un po' come se le facesse la grazia di tenerla alle sue dipendenze».

«Sì. Era proprio così».

«Anche lui aveva bisogno di conferme, ed è per questo che si gettava su tutte le donne che gli capitavano a tiro».

Gilbert Pigou inarcò le sopracciglia, improvvisamente inquieto.

«Mi sta dicendo che era da compiangere?».

«Ciascuno di noi, chi più chi meno, è da compiangere. Cerco di capire. Non ho la pretesa di inchiodare tutti alle loro responsabilità. Lei ha lasciato quai de Charenton. Dove è andato subito dopo?».

«Erano le undici del mattino. Non mi capitava mai di essere in giro a quell'ora. Faceva molto caldo. Ho camminato all'ombra dei platani costeggiando i magazzini di Bercy, sono entrato in un bistrot vicino al pont d'Austerlitz e ho bevuto due o tre cognac, non ricordo con esattezza».

«Ha pranzato con sua moglie?».

«Da parecchio tempo non ci vedevamo più a mezzogiorno. Ho camminato molto, bevuto molto, e a un certo punto sono entrato in un cinema dove c'era un po' più di fresco, perché avevo la camicia incollata alla pelle. Forse se ne ricorda: il mese di luglio è stato torrido».

Sembrava che non volesse omettere alcun dettaglio. Aveva bisogno di spiegarsi, e poiché ne aveva finalmente la possibilità, poiché c'era qualcuno che lo ascoltava con evidente interesse, si sforzava di chiarire tutto.

«La sera sua moglie non si è accorta che aveva bevuto?».

«Le ho raccontato che i colleghi mi avevano offerto l'aperitivo perché ero stato promosso e mi sarei trasferito in avenue de l'Opéra».

Maigret non sorrise di questa ingenuità. Il suo volto, anzi, era molto serio.

«Come è riuscito, il giorno dopo, a consegnare a sua moglie i soldi dello stipendio?».

«Non avevo niente da parte. Lei mi dava solo quaranta franchi per le sigarette e la metropolitana. Dovevo inventarmi qualcosa. Ci ho pensato quasi tutta la notte. Mentre uscivo di casa, le ho detto che non sarei rientrato per cena e che avrei passato una parte della serata a sistemare il mio nuovo ufficio.

«Il giorno prima non avevo pensato a restituire la chiave della cassaforte. Dovevano esserci più soldi del solito, perché l'indomani era giorno di paga.

«Nel corso degli anni qualche volta mi è capitato di dover tornare in ufficio la sera per un lavoro urgente. In quei casi portavo con me la chiave della porta d'ingresso.

«Una volta me la sono dimenticata. Ho fatto il giro dell'edificio perché mi ricordavo che la porta sul retro, che si era deformata, chiudeva male e si poteva muovere il chiavistello con un temperino».

«Non c'era un guardiano notturno?».

«No. Ho aspettato che facesse buio e sono sgusciato in cortile. La porticina si è aperta, come speravo, e sono entrato nel mio vecchio ufficio. Ho preso una mazzetta di banconote senza neppure contarle».

«Era una grossa somma?».

«Più di tre mesi di salario. La sera stessa ho nascosto le banconote sopra l'armadio grande, salvo il corrispettivo del mio stipendio mensile. Sono uscito alla solita ora. Non potevo confessare a Liliane che ero stato buttato fuori».

«Perché si preoccupava tanto di quello che poteva pensare di lei?».

«Perché lei era una specie di testimone. Da anni mi osservava con occhio critico. Avrei voluto che almeno una persona avesse fiducia in me.

«Passavo le giornate fuori casa, cercando un nuovo impiego. Mi ero immaginato che sarebbe stato facile. Leggevo le inserzioni e mi precipitavo agli indirizzi indicati. A volte c'era la coda e mi capitava di provare pietà per quelli, quasi tutti anziani, che aspettavano senza alcuna speranza.

«Mi facevano delle domande. La prima cosa che mi chiedevano era quanti anni avevo. Quando rispondevo quarantaquattro, di rado il colloquio proseguiva.

«"Cerchiamo uomini giovani, di trent'anni al massimo".

«Io ero convinto di essere giovane. Mi sentivo giovane. Col passare dei giorni ero sempre più cupo. Dopo quindici giorni non cercavo più a ogni costo un impiego da contabile e mi sarei accontentato anche di essere assunto come fattorino, o come commesso in un negozio.

«Quando andava bene, annotavano nome e indirizzo.

«"Le scriveremo".

«Quelli che non escludevano la possibilità di assumermi mi chiedevano dove avevo lavorato prima. Dopo le minacce di Chabut, non avevo più il coraggio di dirlo.

«"Un po' dappertutto. Ho vissuto per molto tempo all'estero".

«Dovevo specificare che avevo lavorato in Belgio o in Svizzera, perché parlo solo il francese.

«"Ha referenze?".

«"Ve le manderò".

«Ovviamente in quelle ditte non tornavo più.

«A fine luglio le cose hanno cominciato ad andare ancora peggio. Molti uffici erano chiusi, oppure i proprietari erano in vacanza. Ho di nuovo portato a casa lo stipendio, o meglio ho prelevato la somma necessaria dalle mie scorte sopra l'armadio.

«"Sei strano in questi ultimi tempi" ha osservato Liliane. "Sembri ancora più stanco di quando eri in quai de Charenton".

«"È perché non mi sono ancora abituato al nuovo lavoro. Devo imparare a usare i calcolatori. In avenue de l'Opéra controlliamo i punti vendita, e ce ne sono più di quindicimila. Ho grandi responsabilità".

«"Quando prenderai le ferie?".

«"Quest'anno è impossibile. Forse a Natale. Sarebbe bello andare per la prima volta in vacanza sulla neve. Tu però puoi partire. Perché non vai dai tuoi per tre settimane o un mese?"».

Capiva che le sue parole lasciavano intravedere una realtà drammatica, miserevole?

«È partita per un mese. È rimasta quindici giorni dai suoi genitori, a Aix-en-Provence, dove suo padre è architetto, poi due settimane a Bandol, nella villa che aveva affittato una delle sorelle.

«Mi sentivo sperso a Parigi. Continuavo a leggere gli annunci in rue Réaumur, e mi precipitavo agli indirizzi che davano. Sempre con scarso successo.

«Cominciavo a rendermi conto che Chabut aveva ragione, che non avrei trovato uno straccio di impiego.

«Ho gironzolato davanti a casa sua, in place des Vosges, così, senza motivo, solo per vederlo, ma anche lui era in vacanza, a Cannes probabilmente, dove hanno un appartamento».

«Lo odiava?».

«Sì. Con tutte le mie forze. Mi sembrava ingiusto che lui si abbronzasse al sole mentre io mi sbattevo per trovare lavoro in una Parigi sempre più vuota.

«Sopra l'armadio mi restava poco più del necessario per consegnare a mia moglie un mese di stipendio.

«E dopo? Cosa avrei fatto dopo? Sarei stato costretto a dirle la verità, ed ero sicuro che mi avrebbe lasciato. Non era il tipo di donna che resta accanto a un uomo incapace di mantenerla».

«Teneva ancora a lei?».

«Credo di sì. Non so».

«E adesso?».

«Mi sembra che a poco a poco sia diventata un'estranea. Non mi capacito di aver dato tanto peso a quel che avrebbe potuto pensare».

«Quando l'ha vista l'ultima volta?».

«È tornata dal Midi alla fine di agosto. Le ho consegnato il mio cosiddetto stipendio. Sono rimasto con lei ancora una ventina di giorni, ma sapevo già che alla fine del mese il denaro non mi sarebbe bastato.

«Una mattina sono uscito deciso a non tornare, portando con me solo le poche centinaia di franchi che mi erano rimaste».

«È andato subito in rue de la Grande-Truanderie?».

«Sa anche questo? No. Ho preso una camera in

un albergo a buon mercato ma dignitoso, e ho scelto il quartiere della Bastille, dove non rischiavo di incontrare mia moglie».

«È da allora che ha cominciato a seguire Oscar Chabut?».

«Conoscevo tutti i suoi orari e gironzolavo in avenue de l'Opéra, place des Vosges o quai de Charenton. Sapevo anche che quasi tutti i mercoledì andava in rue Fortuny con la sua segretaria».

«Che intenzioni aveva?».

«Non ne avevo. Nessuno più di quell'uomo aveva avuto un ruolo importante nella mia vita, perché mi aveva privato della mia dignità e della possibilità di risalire la china».

«Era armato?».

Pigou tirò fuori dalla tasca dei pantaloni una piccola automatica dai riflessi azzurrati, si alzò e la posò sul tavolino di fronte a Maigret.

«Me l'ero portata nel caso avessi deciso di suicidarmi».

«Non ha avuto la tentazione di farlo?».

«Più volte, soprattutto la sera, ma avevo paura. Ho sempre avuto paura delle percosse, del dolore fisico. Chabut forse aveva ragione: sono un vigliacco».

«Devo interromperla un momento per fare una telefonata. Lei capirà il motivo».

Chiamò il Quai des Orfèvres.

«Per favore, signorina, mi passi l'ispettore Lapointe...».

Pigou fu lì lì per dire qualcosa, ma poi rimase zitto.

In cucina la signora Maigret preparava altri due grog.

«Sei tu?» chiese Maigret.

«Capo, ma non è a letto? E non ha neanche la voce di uno che si è appena svegliato. Non ho novità».

«Lo so».

«Come fa a saperlo? Da dove mi telefona?».

«Da casa mia».

«Sono le tre del mattino».

«Richiama tutti gli uomini. Gli appostamenti sono finiti».

«L'ha beccato?».

«È qui, davanti a me, e stiamo tranquillamente conversando».

«È venuto di sua iniziativa?».

«Non mi ci vedo a corrergli dietro lungo boulevard Richard-Lenoir».

«Com'è?».

«Un tipo a posto».

«Ha bisogno di me?».

«Per adesso no. Ma rimani in ufficio. Richiama tutte le pattuglie. Avvisa Janvier, Lucas, Torrence e Lourtie. Ti chiamo più tardi».

Riattaccò e rimase in silenzio, mentre la signora Maigret sostituiva i bicchieri vuoti con altri pieni.

«Dimenticavo di dirle, Pigou, che anche se ci troviamo a casa mia e non al Quai des Orfèvres, io rimango un poliziotto e mi riservo il diritto di servirmi di tutto quello che lei mi dirà».

«Mi sembra giusto».

«Conosce un buon avvocato?».

«No. Né buono né cattivo».

«Ne avrà bisogno domani, quando sarà interrogato dal giudice istruttore. Le darò qualche nominativo».

«La ringrazio».

La telefonata aveva un po’ raffreddato l’atmosfera, che si era fatta più formale.

«Alla salute».

«Alla sua».

E in tono scherzoso:

«Credo che ne passerà di tempo prima che io possa bere un altro grog. Me la faranno pagare cara, non è così?».

«Perché dovrebbero fargliela pagare cara?».

«Intanto era un uomo ricco e influente. E poi non ho nemmeno un motivo plausibile».

«Quando le è venuta l’idea di ucciderlo?».

«Non so. Ho dovuto lasciare l’albergo della Bastille e sono finito in rue de la Grande-Truanderie. È stata molto dura. Rientravo all’alba, dopo aver scaricato casse di verdura alle Halles, e ogni volta prima di addormentarmi scoppiavo in lacrime. Il tanfo mi stomacava, e persino i rumori dell’albergo. Mi sembrava di essere ormai fuori dal mondo, in un altro universo.

«Durante il giorno, mi capitava ancora di girovagare in place des Vosges, quai de Charenton, avenue de l’Opéra, e per due o tre volte sono persino andato a spiare Liliane nascondendomi nel cimitero di Montparnasse.

«Sempre più spesso, quando vedevo Chabut, mi capitava di mormorare a mezza voce:

«"Lo ammazzerò!".

«Erano solo parole che pronunciavo automaticamente. Non avevo davvero intenzione di ucciderlo. Lo guardavo vivere da lontano, se così posso dire. Guardavo la sua imponente auto rossa, la sua faccia spavalda, i suoi abiti dal taglio perfetto e sempre senza una piega.

«Io invece cadevo sempre più in basso. L'unico completo che avevo preso in rue Froidevaux era tutto sgualcito e coperto di macchie. L'impermeabile non bastava più a proteggermi dal freddo, ma non avevo soldi per comprarmi un cappotto, nemmeno di seconda mano.

«Ero sul lungosenna, a una certa distanza, quando ho visto Liliane entrare negli uffici di quai de Charenton. Con ogni probabilità era già stata in avenue de l'Opéra, perché era là che pensava lavorassi.

«Si è fermata a lungo. A un certo punto ho notato Anne-Marie che scendeva in cortile a prendere una boccata d'aria, e non ho avuto dubbi su quello che stava accadendo.

«Non ero geloso. Era solo come un altro schiaffo. Quell'uomo si comportava come se tutto gli appartenesse. Ho borbottato di nuovo:

«"Lo ammazzerò!".

«Mi sono allontanato trascinando la gamba. Non volevo che mia moglie mi vedesse».

«Quando è andato per la prima volta in rue Fortuny?».

«Verso la fine di novembre. Ero costretto a risparmiare persino sui biglietti del métro».

Ebbe un risolino amaro.

«È una strana sensazione, sa, quella di non avere soldi in tasca e di sapere che non potrai mai più vivere come gli altri. Alle Halles incontri soprattutto vecchi, ma anche qualche giovane che ha già lo stesso sguardo. Ce l'ho anch'io?».

«No».

«Eppure dovrei, perché sono diventato come loro. E intanto continuavo a pensare allo schiaffo. Ha fatto male a colpirmi. Forse le parole, anche le più crudeli, le più sprezzanti, avrei potuto dimenticarle. Mi ha schiaffeggiato come se fossi un ragazzaccio di strada».

«Mercoledì scorso, andando in rue Fortuny, sapeva che quella sarebbe stata l'ultima volta?».

«Se sono venuto qui da lei non è certo per raccontarle balle, le pare? Non sapevo che l'avrei ucciso, questo glielo giuro e può credermi. A lei non potrei mentire».

«Qual era il suo stato d'animo?».

«Sentivo che così non poteva continuare. Avevo toccato il fondo. Prima o poi mi avrebbero beccato in una retata, oppure mi sarei ammalato e sarei finito all'ospedale. Qualcosa doveva succedere».

«Cosa, per esempio?».

«Avrei potuto dargli uno schiaffo anch'io. Mi sarei avvicinato a lui mentre usciva dal palazzo con Anne-Marie...».

Scosse la testa.

«Impossibile, perché era molto più forte di me. Ho aspettato le nove. Nell'atrio si è accesa la luce e lui è uscito da solo. Avevo l'automatica in tasca e c'è voluto un attimo a estrarla.

«Ho sparato senza quasi prendere la mira, tre o quattro volte, non ricordo».

«Quattro».

«Sul momento ho pensato di restare lì e di aspettare la polizia. Ma avevo paura che mi pestassero. Allora mi sono messo a correre verso il métro di avenue de Villiers. Nessuno mi ha inseguito. Mi sono ritrovato alle Halles, e dato che cercavano persone per scaricare casse di verdura, come un automa mi sono presentato. Non avrei potuto restare solo in camera.

«Ecco qua, commissario, penso di averle detto tutto».

«Perché mi ha telefonato?».

«Non lo so. Mi sentivo solo e mi dicevo che nessuno mi avrebbe mai capito. Sui giornali ho letto spesso degli articoli su di lei. Volevo conoscerla. Ero quasi deciso a tirarmi un colpo in testa.

«Allora ho cercato un ultimo contatto, ma avevo troppa paura. Dei suoi agenti, non di lei».

«I miei ispettori non pestano nessuno».

«Eppure lo si sente dire in giro».

«Si sentono dire molte cose, Pigou. Fumi pure la sua sigaretta. Ha ancora paura?».

«No. Le ho telefonato una seconda volta, poi subito dopo le ho scritto da un bar di boulevard du Palais. Mi sentivo vicino a lei. Avrei voluto seguirla per strada, ma lei girava sempre in macchina. Lo stesso problema che avevo con Chabut.

«Dovevo precederla, intuire dove si sarebbe diretto.

«Per questo quando è andato in quai de Charenton io ero lì. Era inevitabile che Anne-Marie le raccontasse tutto. Solo, non avevo messo in conto che non l'avrebbe fatto subito.

«D'altra parte quella scena era successa in giugno, e per lei era già acqua passata.

«L'ho anche vista in place des Vosges».

«E al Quai des Orfèvres».

«Sì. Mi dicevo che era inutile nascondermi, tanto

mi sarei fatto senz'altro beccare. Perché prima o poi lei mi avrebbe arrestato, non è vero?».

«Se fosse rimasto alle Halles, con ogni probabilità stanotte i miei uomini l'avrebbero individuata e arrestata. Alle dieci avevano scoperto l'Hôtel du Cygne, e qualche ora dopo l'avrebbero trovata in un bistrot della zona. Si è messo a bere?».

«No».

Era insolito che uno cadesse così in basso senza darsi all'alcol.

«Stavo quasi per entrare al Quai e chiedere di parlarle. Ma poi mi sono detto che sarei finito nelle mani di un ispettore qualsiasi e che non avrei avuto nessuna possibilità di avvicinarla. Allora sono venuto in boulevard Richard-Lenoir».

«L'ho vista».

«E io ho visto lei. L'idea era di salire fino al suo appartamento. Lei si stagliava nel rettangolo della finestra con la luce alle spalle, e in vestaglia mi appariva enorme. Mi ha preso il panico e mi sono allontanato in fretta. Ho girovagato per ore nel quartiere. Sono passato qui davanti almeno cinque volte, ma le luci erano spente».

«Permette un istante?».

Compose di nuovo il numero del Quai.

«Mi passi Lapointe, per favore. Pronto! Gli uomini sono tornati a casa? Chi c'è lì con te?».

«Lucas è di guardia. Janvier è appena arrivato».

«Venite tutti e due a casa mia. Prendete una macchina».

«Mi porteranno via?» chiese Pigou dopo che Maigret ebbe riattaccato.

«È necessario».

«Capisco, ma mi fa paura lo stesso, come andare dal dentista».

Aveva ucciso un uomo. Era venuto da Maigret di

sua spontanea volontà, ma a dominarlo era la paura. Paura delle percosse, della violenza.

Al delitto che aveva commesso ormai non pensava quasi più.

Maigret si ricordò del giovane Stiernet, che aveva ammazzato sua nonna a colpi di attizzatoio e per poco non aveva detto:

«Non l'ho fatto apposta».

Rivolse a Pigou uno sguardo intenso, come se volesse scavare dentro di lui. Il contabile era turbato da quello sguardo.

«Non ha altre domande?».

«Non mi sembra. No».

Chiedergli se era pentito del gesto che aveva compiuto in rue Fortuny non sarebbe servito a nulla. Stiernet si era forse pentito?

Glielo avrebbero chiesto sicuramente in Corte d'Assise, e se avesse detto la verità nell'aula ci sarebbero state varie reazioni, se non addirittura un mormorio di biasimo.

Rimasero per un po' in silenzio e Maigret finì il suo grog. Udì un'auto che si fermava davanti alla casa e due portiere che sbattevano una dopo l'altra.

Si accese un'ultima pipa, più per darsi un contegno che non per la voglia di fumare. Dei passi sulle scale. Andò ad aprire la porta, e i due uomini lanciarono uno sguardo incuriosito al salotto, dove la luce formava nuvole azzurrine intorno alla lampada da tavolo e alla plafoniera.

«Gilbert Pigou. Abbiamo appena fatto una lunga chiacchierata. Domani procederemo all'interrogatorio ufficiale».

Il contabile li osservava, lievemente rassicurato dal loro atteggiamento. Non sembravano di quelli che pestano il prossimo.

«Portatelo al Quai e lasciatelo dormire qualche ora. Sarò lì in tarda mattinata».

Lapointe gli fece un cenno che non comprese subito perché crollava di stanchezza. L'ispettore si guardava i polsi come per dire:

«Gli metto le manette?».

Maigret si girò verso Pigou.

«Non è per sfiducia. Quando sarete al Quai gliele toglieranno. È il regolamento».

Sul pianerottolo, Pigou si girò. Aveva le lacrime agli occhi. Guardò ancora una volta Maigret come per farsi coraggio.

Ma probabilmente si stava solo compiangendo.

Épalinges (Vaud), 29 settembre 1969

FINITO DI STAMPARE NEL NOVEMBRE 2010
DA GRUPPO POZZONI

Printed in Italy

GLI ADELPHI

Le inchieste di Maigret